Photographie
et société

Gisèle Freund

Photographie
et
société

Editions du Seuil

Du même auteur

Le Monde et ma caméra
Denoël, 1970

Mémoires de l'œil
Seuil, 1977

Trois Jours avec Joyce
Denoël, 1982

Itinéraires
Albin Michel, 1985

Portraits d'écrivains et d'artistes
Chirmer & Mosel, 1989

Gisèle Freund, portrait
en collaboration avec Rauda Jamis
Éditions Des Femmes, 1991

ISBN 978-2-02-000660-6

Chaque moment de l'histoire voit naître des modes d'expression artistique particuliers, correspondant au caractère politique, aux manières de penser et aux goûts de l'époque. Le goût n'est pas une manifestation inexplicable de la nature humaine, il se forme en fonction des conditions de vie bien définies qui caractérisent la structure sociale à chaque étape de son évolution. Lorsque, sous Louis XVI, la bourgeoisie devint prospère, elle se complut à donner le plus possible à ses portraits un caractère princier, car les goûts de l'époque étaient déterminés par la classe au pouvoir, c'est-à-dire par la noblesse.

A mesure que la bourgeoisie s'élevait, et que son pouvoir politique s'affermissait, la clientèle changeait et le goût se transformait. Le type idéal n'est plus princier : à sa place apparaît le visage bourgeois. La redingote et le haut-de-forme remplacent l'habit à dentelles et la perruque, la canne remplace l'épée. La civilisation de la Cour, qui avait trouvé sa plus haute expression artistique dans les tableaux et les pastels de La Tour et de Watteau aux mouvements légers et enjoués, fait place à la culture bourgeoise et aux couleurs grises, massives et lourdes d'un David. Le dessin d'Ingres aux contours précis répond aux tendances réalistes de l'époque et au goût d'une bourgeoisie conventionnelle, compassée dans sa dignité, et consciente de ses devoirs. Ainsi chaque société produit des formes définies d'expression artistique qui, dans une grande mesure, sont nées de ses exigences et de ses traditions qu'elles reflètent à leur tour.

Tout changement dans la structure sociale influe aussi bien sur le sujet que sur les modalités de l'expression artistique. Au

xixe siècle, à l'ère de la machine et du capitalisme moderne, on
vit se modifier non seulement le caractère des visages dans les
portraits, mais aussi la technique de l'œuvre d'art. Celle-ci commença à transformer les modes d'expression d'une manière inconnue jusqu'alors. C'est ainsi qu'apparaissent, avec le progrès mécanique, une série de procédés qui devaient avoir une portée considérable sur l'évolution ultérieure de l'art. Avec la lithographie, inventée en 1798 par Alois Senefelder, et importée quelques années plus
tard en France par Philippe de Lasteyrie qui installa à Paris un
atelier, un grand pas était fait vers la démocratisation de l'art.
L'invention de la photographie fut décisive dans cette évolution.

Dans la vie contemporaine, la photographie joue un rôle capital. Il n'est guère d'activité humaine qui ne l'emploie d'une
manière ou d'une autre. Elle est devenue indispensable à la
science comme à l'industrie. Elle est à l'origine des mass media
comme le cinéma, la télévision et les vidéocassettes. Elle s'étale
journellement dans les milliers de journaux et de revues.

La photographie fait désormais partie de la vie quotidienne.
Elle s'est tellement incorporée à la vie sociale qu'on ne la voit
plus à force de la voir. Un de ses traits les plus caractéristiques
est d'être reçue également dans toutes les couches sociales. On la
trouve aussi bien dans le logement de l'ouvrier, de l'artisan, que
chez le commerçant, le fonctionnaire et l'industriel. C'est en cela
que réside sa grande importance politique. Elle est le moyen
d'expression typique d'une société, établie sur la civilisation technicienne, consciente des buts qu'elle s'assigne, d'esprit rationa-
liste et fondée sur une hiérarchie de professions. En même temps,
elle est devenue pour cette société un instrument de premier
ordre. Son pouvoir de reproduire exactement la réalité extérieure
– pouvoir inhérent à sa technique – lui prête un caractère documentaire et la fait apparaître comme le procédé de reproduction
le plus fidèle, le plus impartial de la vie sociale.

Aussi, plus que tout autre moyen, la photographie est apte à
exprimer les désirs et les besoins des couches sociales dominantes,
à interpréter à leur façon les événements de la vie sociale. Car la
photographie, quoique strictement liée à la nature, n'a qu'une
objectivité factice. La lentille, cet œil prétendu impartial, permet
toutes les déformations possibles de la réalité, parce que le caractère de l'image est chaque fois déterminé par la façon de voir de

l'opérateur et les exigences de ses commanditaires. L'importance de la photographie ne réside donc pas seulement dans le fait qu'elle est une création, mais dans le fait surtout qu'elle est un des moyens les plus efficaces de façonner nos idées et d'influer sur notre comportement.

A l'époque actuelle, dominée par la technostructure dont le but est de créer sans cesse de nouveaux besoins, le développement de l'industrie photographique est un des plus rapides parmi celui de toutes les industries. L'image répond au besoin de plus en plus urgent de l'homme de donner une expression à son individualité. Aujourd'hui, et malgré les perfectionnements sans cesse grandissants de la vie matérielle, l'homme se sent de moins en moins concerné par le jeu des événements et relégué à un rôle de plus en plus passif. Faire des photos lui semble une extériorisation de ses sentiments, une sorte de création. D'où le nombre grandissant de photographes amateurs qui se chiffre aujourd'hui par centaines de millions et qui tend à croître de plus en plus.

La présente étude porte sur l'importance immense de la photographie en tant que procédé de reproduction et sur le rôle qu'elle a joué à ses débuts dans l'évolution du portrait individuel, puis dans celui du portrait collectif, c'est-à-dire dans la presse. Elle s'étend de l'époque de la publication de l'invention de la photographie, c'est-à-dire de la troisième décennie du XIXe siècle à nos jours. Cent trente-cinq ans de son histoire.

Aujourd'hui, les utilisations de la photographie sont tellement diversifiées que j'ai dû faire un choix parmi ses innombrables applications. Par exemple, je n'ai pas traité dans cet ouvrage du rôle de la photographie dans la presse féminine, ni de la publicité. Mais à quelques rares exceptions près, toutes les photos publiées dans la presse et dans les magazines de tout genre servent un but publicitaire, même si celui-ci n'est pas immédiatement discernable. Je m'efforce dans ce livre d'éclaircir ce rôle par des exemples concrets, tirés pour la plupart de mes propres expériences.

En étudiant quelques aspects de l'histoire de la photographie, nous essayons de mettre en lumière l'histoire de la société contemporaine, afin de démontrer, par un exemple concret, les relations qui rendent les expressions artistiques et la société dépendantes l'une de l'autre, et comment les techniques de l'image photographique ont transformé notre vision du monde.

Fileuse de coton (Lewis Hine), 1910. →
Usine en 1857. →
La Commune, 1871. →

1

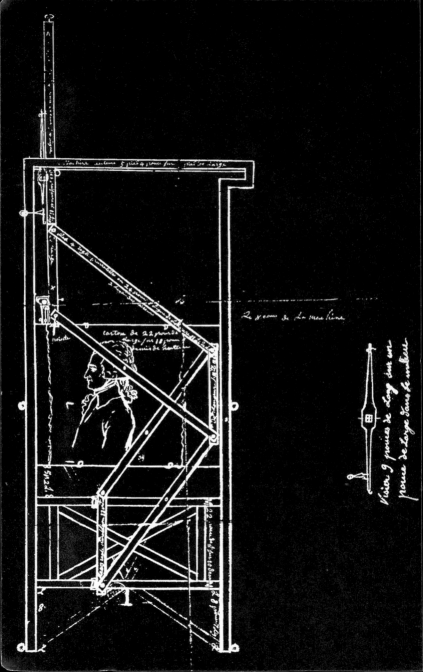

Précurseurs de la photographie

Le portrait photographique correspond à un stade particulier de l'évolution sociale : l'ascension de larges couches de la société vers une plus grande signification politique et sociale. Les précurseurs du portrait photographique surgirent en relation étroite avec cette évolution.

L'ascension de ces couches sociales a provoqué le besoin de produire tout en grande quantité, et particulièrement le portrait. Car « faire faire son portrait » était un de ces actes symboliques par lesquels les individus de la classe sociale ascendante rendaient visible à eux-mêmes et aux autres leur ascension et se classaient parmi ceux qui jouissaient de la considération sociale. Cette évolution transformait en même temps la production artisanale du portrait en une forme de plus en plus mécanisée de la reproduction des traits humains. Le portrait photographique est le dernier degré de cette évolution.

C'est autour de 1750 qu'on voit se dessiner, par poussées successives, la montée des couches moyennes à l'intérieur même de l'appareil social reposant jusqu'ici sur une base aristocratique. Avec l'ascension des couches bourgeoises et l'accroissement de leur bien-être matériel, le besoin de se faire valoir grandit. Besoin profond dont on retrouve une manifestation caractéristique dans le portrait et qui est en fonction directe de l'effort de la personnalité pour s'affirmer et prendre conscience d'elle-même. Le portrait qui était en France, depuis des siècles, le privilège de quelques cercles, se soumet, avec le déplacement social, à une démocratisation. Dès avant la Révolution française, la mode du portrait commençait à se répandre dans les milieux bourgeois. Au fur et à

Le physionotrace inventé par Gilles-Louis Chrétien en 1786.

mesure que le besoin de représentation de soi-même s'affirmait, cette mode créait de nouvelles formes et de nouvelles techniques pour le satisfaire. La photographie qui, en France, entra dans le domaine public en 1839, lui dut, dans une large mesure, son développement technique et son expansion.

Mais dans cette période de transition, où la décomposition du monde féodal s'accomplissait sous l'effet de modes nouveaux de production et des bouleversements politiques consécutifs, les classes ascendantes n'avaient pas encore trouvé leur propre moyen d'expression artistique. Elles se modelaient encore sur l'aristocratie qui ne jouait plus de rôle dans la politique et dans l'économie mais qui donnait encore le ton de la bonne société. Elles adaptèrent les conceptions artistiques de la noblesse et ses formes de représentation en général, les modifiant selon leurs besoins.

En présence de la clientèle bourgeoise, le peintre portraitiste se voyait placé devant une double tâche : d'un côté, imiter dans ses portraits la manière à la mode des peintres de la Cour, de l'autre, fournir des portraits à des prix correspondant aux ressources économiques de cette classe. « La recherche de la ressemblance dans le portrait chez le client français sous Louis XV et Louis XVI peut se définir par la tendance générale à truquer, voire à idéaliser chaque visage, même celui du petit bourgeois, pour le faire ressembler au type humain dominant : au Prince [1]. »

La noblesse était une clientèle difficile. Elle exigeait un métier parfait. Pour plaire au goût de l'époque, le peintre cherchait à éviter les couleurs franches et leur préférait des tons plus délicats. La toile seule ne pouvait suffire à cette prétention; il fallait des matériaux plus appropriés pour les effets de velours et de soie.

Une forme du portrait correspondait particulièrement à ces exigences : *le portrait miniature*. Sous forme de couvercles de boîtes à poudre, de pendantifs, on pouvait toujours porter avec soi les portraits des absents, de la famille, de l'ami, de l'amant. Les portraits miniatures, à la mode dans les milieux aristocratiques et qui faisaient valoir le charme de la personnalité, furent une des premières formes de portrait adoptées par la couche ascendante de la bourgeoisie; elle y trouva un moyen d'exprimer son culte de l'individu. Aisément adapté à la nouvelle clientèle, le portrait miniature, à mesure de son extension, devint l'art mineur à succès. Nombre de miniaturistes gagnaient leur vie quand ils avaient exécuté dans l'année de trente à cinquante portraits, qu'ils livraient à des prix modérés. Bien que les classes moyennes l'eussent adapté à leurs conditions propres, le portrait miniature conservait encore des éléments aristocratiques. C'est pourquoi il devait mourir vers 1850, lorsque l'ordre de la société bourgeoise fut définitivement établi et que la photographie eut enlevé à cet artisanat toute possibilité de survie. Pour donner une idée de la rapidité avec laquelle il disparut, il suffira de l'exemple suivant :

Il y avait à Marseille, vers 1850, tout au plus quatre à cinq peintres en miniature, au nombre desquels deux à peine jouissaient d'une certaine réputation en exécutant une cinquantaine de portraits environ par an. Ces artistes gagnaient tout juste de quoi subvenir à leur existence et à celle des leurs. Quelques années plus tard, il y avait dans cette ville de quarante à cinquante photographes dont la plupart se livraient à l'industrie du portrait photographique et en retiraient des bénéfices plus rémunérateurs que ne l'étaient ceux des peintres miniaturistes en renom. Ils produisaient chacun annuellement une moyenne de mille à douze cents clichés qu'ils vendaient 15 francs pièce, soit une recette de 18 000 francs dont l'ensemble constituait un mouvement d'affaires de près d'un million. Et l'on peut constater le même développement dans toutes les grandes villes de France et dans le monde [2]. Le photographe pouvait, pour un prix dix fois moindre, fournir des portraits non seulement correspondant aux moyens de la vie bourgeoise par leur bon marché, mais aussi conformes au goût de la bourgeoisie.

Dans leur origine et leur évolution, toutes les formes d'art révèlent un processus identique au développement interne des formes sociales. Dans les efforts artistiques de l'époque qui nous occupe, on retrouve les tendances démocratiques de la Révolution française de 1789 qui avaient revendiqué « les droits de l'homme et du citoyen ». Le citoyen révolutionnaire qui avait pris la Bastille et qui, à l'Assemblée nationale, défendait les droits de sa classe, était le même que celui qui posait comme modèle pour les *physionotracistes* de Paris.

Du temps de Louis XIV, on avait inventé un nouveau procédé pour faire des portraits. On s'amusait à découper dans du papier glacé noir le profil de ses amis. Ce procédé donna naissance à un métier qui fut exercé par beaucoup d'individus adroits, dans toutes les fêtes de quelque importance, depuis les bals de la cour jusqu'aux foires populaires. Il fut nommé *silhouette* d'après le ministre des finances de l'époque, et, sous ce nom, il gagna une grande popularité, non seulement en France mais à l'étranger.

M. de Silhouette ne fut point le créateur des découpages qui ont fait passer son nom dans le langage courant, ainsi qu'on le croit, qu'on l'écrit même ordinairement. Leur véritable inventeur est inconnu. Le mot silhouette qui sert à désigner par extension toute figure posée nettement en profil, est né vers le milieu du xviiie siècle. L'histoire de sa naissance est assez curieuse.

Nommé, en 1750, contrôleur général, autrement dit ministre des Finances, à un moment où celles-ci étaient si mal en point que la France courait à la faillite, M. de Silhouette établit, non sans difficultés, certaines taxes publiques ramenant un peu d'argent dans les caisses de l'État et se rendit un instant très populaire. On voyait en lui le sauveur. Mais le découvert était si considérable qu'il se vit obligé de ralentir certains paiements, voire d'en suspendre quelques autres. L'opinion aussitôt se retourna. On l'appela « le banqueroutier »; sa popularité s'évanouit. Alors la malignité du public s'exerça. Une mode nouvelle avait surgi, celle des surtouts étriqués sans plis et des culottes sans poches : à quoi bon des goussets? On n'avait plus d'argent à y mettre. Ces vêtements furent surnommés des habits à la Silhouette De même, d'une fantaisie, imaginée on ne sait par qui, dont la foule s'était engouée et qui n'était que l'image d'une ombre, on dit – et l'on a continué à dire – c'est une *silhouette*. Le brillant contrôleur général de naguère, courageux et instruit, n'était plus en effet que l'ombre de lui-même [3].

Le *découpeur de silhouettes* resta en vogue jusqu'au temps de Bonaparte. Aux bals publics du Directoire et du Consulat se trouvaient des camelots qui, comme ceux de nos foires actuelles, gagnaient leur vie en pratiquant cet art. Les artistes eux-mêmes se mirent à pratiquer ce nouveau genre de portraits. Ils s'ingénièrent à perfectionner les formes découpées en les retouchant et en les gravant avec une aiguille.

La silhouette est une forme abstraite de représentation. Le portrait-silhouette n'exige aucune étude spéciale du dessin. Le public l'apprécia beaucoup en raison de sa rapidité d'exécution et de ses prix modiques.

L'invention de la silhouette qui, par son procédé même ne pouvait pas donner naissance à une industrie de grande envergure, provoqua la naissance d'une technique nouvelle, populaire en France entre 1786 et 1830, connue sous le nom de *physionotrace*.

L'inventeur en était Gilles-Louis Chrétien, né en 1754 à Versailles. Son père était musicien à la cour du roi. Le fils avait commencé par suivre les traces de son père, mais il préféra bientôt le métier de graveur, espérant y gagner mieux sa vie. Ce choix ne le mena pas bien loin non plus car la concurrence était grande et le dur travail de graveur au burin demandait beaucoup de temps et de soin. Les quelques portraits qu'il arrivait à graver ne lui rapportaient pas grand-chose, en raison du temps qu'il y passait. Les commandes étaient trop rares par rapport aux frais qu'elles occasionnaient. Sa situation économique le contraignit à imaginer un moyen capable d'augmenter le rendement de sa technique. Il fallait gagner en rapidité. En 1786, il réussit à inventer un appareil qui mécanisait la technique de la gravure et permettait de gagner beaucoup de temps. L'invention combinait deux modes différents du portrait : celui de la silhouette et celui de la gravure, créant ainsi un art nouveau. Il nomma son appareil *physionotrace*.

Le physionotrace était fondé sur le principe bien connu du pantographe. Il s'agissait d'un système de parallélogrammes articulés susceptibles de se déplacer dans un plan horizontal. A l'aide d'un stylet sec, l'opérateur suivait les contours d'un dessin. Un stylet encré suivait les déplacements du premier stylet et reproduisait le dessin à une échelle déterminée par leur position relative. Deux points principaux distinguaient le physionotrace. Outre sa grandeur peu commune, il se déplaçait dans un plan vertical et il était muni d'un *visier* (nous dirions un viseur) qui, remplaçant la pointe sèche, permettait de reproduire les lignes d'un objet non plus à partir d'un plan mais de l'espace. Après avoir placé son modèle, l'opérateur, monté sur un escabeau derrière l'appareil, manœuvrait en visant, d'où le nom du visier, les traits à reproduire. La distance du modèle à l'appareil, ainsi que la position du stylet à tracer, permettaient d'obtenir une image aussi bien en grandeur naturelle qu'à une échelle quelconque [4].

Si, dans le portrait miniature, la valeur artistique et la personnalité du peintre jouaient un grand rôle, ces qualités se réduisaient

chez le découpeur de silhouettes à une simple habileté manuelle ;
tout au plus son talent pouvait-il se manifester dans les retouches
des traits d'un profil. Le physionotrace n'exigeait même pas cette
habileté. Il suffisait de dessiner les contours de l'ombre que l'on
reportait sur une plaque de métal où on les gravait. Une seule
séance suffisait. On obtenait ainsi des portraits à des prix modérés
et qui se vendaient par séries. En 1788, Chrétien vint à Paris pour
exploiter son invention dans la capitale. Il s'associa à un peintre
de miniatures nommé Quenedey ; celui-ci l'abandonna bientôt
en voyant le succès remporté par le nouveau métier, et monta
une affaire concurrente.

D'anciens graveurs et peintres de miniatures adoptèrent la
nouvelle technique, car leur métier agonisant ne leur offrait
plus aucun moyen d'existence. Parmi eux, Quenedey, Gonord
et Chrétien étaient les plus connus. Les deux premiers s'étaient
établis aux galeries du Palais-Royal qui était en ce temps le centre
du Paris mondain. Chrétien s'était installé dans la rue Saint-
Honoré.

Le Tout-Paris se précipita bientôt chez les physionotracistes.
Les personnalités célèbres de la Révolution, de l'Empire, de la
Restauration, ainsi qu'un grand nombre d'inconnus, posèrent
devant le physionotrace qui copiait leur profil avec une exactitude
mathématique. Dans les œuvres de Chrétien on trouve les têtes
de Bailly, de Marat, de Pétion, décorés d'une écharpe tricolore,
de Robespierre et de beaucoup d'autres. Quenedey fit les profils
de Madame de Staël, de Louis XVIII, de Saint-Just, d'Elisa
Bonaparte et de nombreuses personnalités politiques et
mondaines [5].

Les physionotracistes perfectionnèrent bientôt leur technique
et firent de petits portraits sur bois, des médaillons, des portraits
sur ivoire, pour la somme de trois livres, qu'ils ne vendaient pas
à raison de moins de deux par personne, la moitié du prix devant
être payée d'avance [6]. C'étaient de bons commerçants.

Pour six livres, ils vendaient des portraits qu'ils appelaient
silhouettes à l'anglaise, auxquels ils ajoutaient coiffure et costume.
La pose ne durait qu'une minute. Gonord fit aussi des camées et
des portraits en miniature d'après les silhouettes ; ces *silhouettes
coloriées*, comme il les appelait, se vendaient douze livres et n'exigeaient qu'une pose de trois minutes [7].

Les images obtenues au physionotrace réduisaient de plus en plus les chances de succès du peintre de miniatures et du graveur. Au Salon de 1793, on exposa cent portraits au physionotrace, et en l'an IV on réservait déjà à cet art douze salles contenant chacune cinquante portraits présentés au public par des physionotracistes connus [8].

Les physionotracistes, particulièrement les trois plus connus, Quenedey, Gonord et Chrétien, se faisaient entre eux une concurrence acharnée. Chacun reprochait à l'autre de lui avoir dérobé ses derniers perfectionnements, et ils rendaient leurs disputes publiques dans les journaux de Paris [9]. Par des annonces où chacun se proclamait l'unique inventeur de ces divers procédés techniques, ils essayaient de gagner la faveur du public. Gonord joignit à son atelier un commerce d'appareils qu'il vendait à des amateurs. Ils s'enrichirent tous par cette invention, car beaucoup de gens, désirant faire faire leur portrait, préféraient aller chez un physionotraciste qui demandait un prix modéré, ne faisait poser qu'un temps très court et leur offrait presque une véritable miniature. Ainsi les portraits au physionotrace devenaient-ils un subrogat de la miniature.

La même tendance se reflétait dans d'autres domaines de la vie sociale. Le genre et la qualité des marchandises en cours variaient avec l'augmentation du nombre des acheteurs. La marchandise d'imitation, meilleur marché, supplantait la marchandise de qualité supérieure, plus chère. Le luxe, mais le luxe à bon marché, était pour le commerçant la plus sûre garantie de bonnes affaires.

Nous avons traité jusqu'ici du côté social et technique de cette évolution. Mais du point de vue esthétique, quelle différence entre l'art délicat et précieux de la miniature, où l'artiste passe des jours et des semaines à reproduire minutieusement un visage, et cette technique nouvelle, déjà presque mécanisée, de la reproduction! L'unique valeur du portrait au physionotrace réside dans son caractère documentaire. Quand on parcourt l'œuvre assez vaste de la physionotracie, on constate que les portraits ont tous la même expression : figée, schématique et plate. Bien que les œuvres d'un miniaturiste ne fussent que des travaux d'artisan, on y trouve toujours le lien entre le modèle et la copie. L'artiste pouvait rendre dans son œuvre ce qui lui paraissait le

trait le plus caractéristique de son sujet et donner ainsi, en même
temps que la ressemblance extérieure, une certaine ressemblance
morale. La technique du physionotraciste est exactement à
l'opposé. Bien que l'appareil reproduisît les contours du visage
avec une exactitude mathématique, cette ressemblance restait
sans expression, parce qu'elle n'était pas traduite par un artiste,
ayant l'intuition d'un caractère, et que l'exécution et la colora-
tion minutieuse du portrait n'était rien d'autre qu'un bon travail
d'artisan.

Le physionotrace peut être considéré comme le symbole d'une
période de transition entre l'ancien régime et le nouveau. Il constitue le précurseur immédiat de l'appareil photographique sur
une ligne d'évolution dont l'aboutissement le plus récent est,
de nos jours, le procédé connu commercialement sous le nom
de *photomaton* et, pour la couleur, le *polaroïd*. De même que le
physionotraciste de 1790 était un manufacturier de portraits,
le photomatoniste de notre époque correspond à la grande industrie automatisée. Du point de départ, le développement se poursuit en ligne continue, jusqu'au dernier stade, forme puissam-
ment mécanisée de l'art du portrait.

Grâce au physionotrace, une grande portion de la bourgeoisie
avait pu avoir accès au portrait; mais le procédé ne répondait
pas encore assez aux désirs des larges couches de la bourgeoisie
moyenne, encore moins de la masse du peuple; il ne semble pas
qu'il ait été pratiqué en province. Le travail manuel individuel
dominait encore trop ce nouveau genre d'exécution. Ce fut
seulement lorsque la technique impersonnelle devint prépondérante – c'est-à-dire avec l'avènement de la photographie –
que le portrait fut définitivement démocratisé.

Le physionotrace n'a rien à voir avec la découverte technique
de la photographie. Mais on peut le considérer comme son précurseur idéologique.

Portraits au physionotrace.

La photographie
sous la monarchie de Juillet

Le 15 juin 1839, un groupe de députés proposa à la Chambre que l'État se rendît acquéreur de l'invention de la photographie et la rendit publique [10]. Ainsi, la photographie se trouvait transportée dans la vie publique. Il n'est pas indifférent de savoir quels sont les partis et les groupes sociaux qui avaient intérêt à prendre ainsi fait et cause pour la photographie. On verra alors, sous un nouvel angle, les rapports qui lient l'évolution de la photographie à celle de la société.

Les révolutions du XIXᵉ siècle sont issues de la transformation sociale provoquée en France par la croissance du capitalisme. La révolution libérale de 1830, qui détrôna la branche aînée de la dynastie *légitime* et lui enleva tout espoir de restauration, prêta main-forte à la société bourgeoise en train d'établir son pouvoir *naturel*. La France se trouvait dans le stade économique et social où la manufacture cède peu à peu la place à l'entreprise industrielle. Ces deux formes économiques coexistaient encore pendant les premières décennies du XIXᵉ siècle; mais l'une était en régression et l'autre en croissance. Le travail manuel était graduellement remplacé par les machines. La grève des imprimeurs de Paris, en 1830, provoquée par l'installation de machines perfectionnées qui enlevèrent à un grand nombre d'imprimeurs leur situation ou la moitié de leur salaire, ne fut qu'un des signes de ce développement nouveau [11]. Le nombre des métiers mécaniques à filer crût de 466 000 en 1828 à 819 000 en 1851; le nombre des métiers à tisser mécaniques qui n'était que de 250 en 1825, atteignait déjà 12 128 en 1851 [12]. Ce ne sont là que quelques exemples d'une rationalisation qui, s'installant peu à peu, entraîna de profonds changements dans la constitution de la société.

Une partie des artisans tomba dans le prolétariat dont les conditions de vie étaient caractérisées par une extrême misère et qui, au début de l'industrialisation, ne jouait encore qu'un rôle politique insignifiant. En revanche, dès lors que l'industrie et le commerce prospéraient, la petite bourgeoisie prit de l'extension et de larges couches de la bourgeoisie moyenne devinrent les piliers de l'ordre social.

Le 28 juillet 1831, un Parisien exposa son portrait en même temps que celui de Louis-Philippe, en les accompagnant de la légende suivante : « Il n'est point de distance entre Philippe et moi; il est roi-citoyen, je suis citoyen-roi. » Cette anecdote met en lumière la nouvelle conscience d'elle-même qu'avait prise la petite bourgeoisie dont les idées et les sentiments étaient devenus profondément démocratiques [13].

Épiciers, merciers, horlogers, chapeliers, droguistes, toutes gens qui ne disposaient, pour la plupart, que d'un petit capital et n'avaient qu'une instruction élémentaire suffisante pour la tenue de leurs livres, gens « enfermés dans l'horizon étroit d'une boutique », petits fonctionnaires enfin, tels furent les éléments de ces couches de la moyenne bourgeoisie qui trouvèrent dans la photographie le nouveau moyen d'autoreprésentation conforme à leurs conditions économiques et idéologiques. Leur situation sociale devait déterminer, quelques années plus tard, le caractère et l'évolution de la photographie. Ce sont eux qui créèrent pour la première fois une base économique sur laquelle pouvait se développer l'art du portrait accessible aux masses.

Mais, de même que la mode est conçue à l'origine dans les couches supérieures de la société et adoptée par elles, avant de descendre peu à peu dans les couches inférieures, ainsi en fut-il de la photographie; elle fut d'abord adoptée dans la classe sociale dominante, celle qui tenait en main le véritable pouvoir : industriels, propriétaires d'usines et banquiers, hommes d'État, littérateurs et savants et tout ce qui appartenait aux milieux intellectuels de Paris. Et peu à peu, elle descendit dans les couches plus profondes de la moyenne et de la petite bourgeoisie, au fur et à mesure que grandissait l'importance de ces formations sociales.

La population totale de la France s'élevait alors à environ

trente-cinq millions d'habitants, dont seulement trois cent mille avaient le droit de vote [14].

Sous Louis-Philippe, qui aimait à se promener en civil, armé de son parapluie, le mode de gouvernement était une monarchie constitutionnelle. A la Chambre siégeaient les représentants d'un petit nombre d'électeurs, composé principalement d'industriels et de commerçants.

En dehors du parti gouvernemental, il y avait aux Chambres une opposition légitimiste et une opposition républicaine. La première qui représentait les intérêts des nobles et des grands propriétaires, n'était plus prédominante. En revanche, l'opposition républicaine était un élément important de la vie politique. Elle disposait d'une grande influence dans la presse. Son organe parisien, *le National*, passait pour aussi respectable, à sa manière, que *le Journal des débats*. Ses représentants venaient de l'élite intellectuelle bourgeoise : bourgeois à tendances républicaines, écrivains, avocats, officiers, fonctionnaires et autres. Leur attitude politique se fondait avant tout sur le sentiment national; ils s'élevaient contre le traité de Vienne et vivaient du souvenir de la vieille République [15].

De tout temps, les intellectuels ont leur rôle à jouer dans l'histoire, et leurs fonctions particulières à remplir dans la société. Distingués de la masse et qualifiés par le savoir et la culture, ils peuvent parvenir à la notion de leur propre relativité et choisir leur voie. Aussi peuvent-ils se faire du monde une vision plus libre, où n'accéderont pas les représentants d'autres couches sociales, liées plus étroitement par leur situation économique et politique à des faits donnés [16]. Ce sont eux, ces intellectuels, qui, au Parlement, furent les représentants par excellence de la tendance humanitaire et libérale de la bourgeoisie. Le caractère du groupe qu'ils constituaient était conforme à la position occupée par eux sous la Monarchie constitutionnelle. Ils ne formaient pas un groupe nettement délimité de la bourgeoisie. Ils n'en étaient que les représentants les plus avancés. Au régime politique existant, « qui, sentant sa faiblesse, devait encore cacher son pouvoir à la couronne », ils n'opposaient que les revendications du républicanisme bourgeois. Du fait de son attitude d'opposition, ce groupe d'intellectuels n'était pas directement lié à la politique régnante du *juste milieu* et se tenait sans cesse en éveil [17].

La foi dans la possibilité de développement intellectuel et moral de l'être humain est ce qui définit l'esprit libéral. Dans la foi en le progrès, il y a un effort pour approcher et approfondir le concret, pour reconnaître le *hic et nunc* de l'époque [18]. Par sa position politique non encore bien cristallisée, cette portion de la bourgeoisie intellectuelle, à laquelle se rallia l'élite artistique lors de la révolution de 1848, se trouva être la plus réceptive, la mieux prête à entreprendre toute réforme, toute recherche servant les buts scientifiques et spirituels de cette époque, la plus apte aussi à mesurer les possibilités d'avenir des entreprises nouvelles. Il ne faut donc pas trop s'étonner de voir naître précisément dans ce milieu l'idée de faire acquérir par l'État l'invention de la photographie et de la faire connaître au public d'une façon officielle.

L'opposition démocratique était l'aile gauche de l'opposition républicaine [19]. Son chef était François Arago, remarquable à la fois comme savant et comme homme politique. « Ce savant que l'Europe entière nous envie, est en même temps l'un des plus énergiques défenseurs des libertés publiques et des intérêts populaires », écrit un journaliste de son temps. « Depuis qu'il est à la Chambre, il a fait de l'opposition à tous les cabinets, et a combattu à la tribune toutes les mesures violentes et réactionnaires [20]. » Arago était un des types les plus marqués de l'intellectuel bourgeois, imprégné de cette conviction libérale, qu'il faut encourager tout ce qui peut concourir au progrès. Il fut donc le premier à reconnaître l'extraordinaire importance que la photographie était appelée à prendre dans les sciences, dans les arts, et dans d'autres domaines encore. C'est ce qui lui fit proposer, à la Chambre des Députés, l'acquisition par l'État de la photographie. Il faut souligner que, si Arago encourageait la photographie, c'était surtout en considération de son utilité scientifique.

Toute invention est conditionnée, d'une part par une série d'expériences et de connaissances antérieures et, d'autre part, par les besoins de la société. Ajoutons la part du génie personnel et, souvent, d'un hasard heureux. Ainsi fut inventée la photographie, en 1826, par Nicéphore Niepce [21]. L'inventeur était né en 1765 à Chalon-sur-Saône. Sa famille, en raison de sa fortune et de ses rapports avec la noblesse, appartenait aux milieux les plus en vue de la Bourgogne. Son père était avocat. Niépce sortait donc de la meilleure bourgeoisie, la bourgeoisie intellectuelle. Grâce à sa situation sociale, il était assuré des loisirs nécessaires aux recherches d'un inventeur. Les traditions culturelles de sa famille, et les possibilités d'instruction qui s'offrirent à lui dans sa jeunesse, étaient des prémices suffisantes pour lui permettre de poursuivre ses travaux scientifiques. Niepce était ce type de *demi-savant* que l'on rencontrait souvent à cette époque dans les châteaux et les maisons de campagne de la bourgeoisie aisée. Il était de bon ton dans ces milieux de se livrer à des expériences scientifiques. Parmi les sciences exactes, la chimie était particulièrement à la mode. C'était entre autres un divertissement très recherché, moitié expérience scientifique, moitié jeu de société, que de placer sur des papiers préparés aux sels d'argent des objets tels que feuilles, fleurs, etc., et d'exposer le tout à la lumière solaire. On obtenait ainsi sur le papier les contours de ces objets, marqués par les contrastes de noir et de blanc; mais l'image disparaissait bientôt, car on ne connaissait pas encore le secret de la fixation. C'était à une époque où les traditions les plus solidement étayées commençaient à faiblir. La période de transition vers une vie toute nouvelle, après la révolution de 1789, avait donné à la vie elle-même le caractère d'une expérience. Mais les nobles et les hommes de tendances royalistes, comme Niepce, qui préféraient se retirer dans leurs terres et qui, d'ailleurs, étaient de plus en plus exclus de la vie politique, trouvaient assez de loisirs pour s'adonner à des expériences scientifiques. La photographie se faisait déjà pressentir dans ces recherches. L'invention de la lithographie, importée en France en 1814, suggéra à Niepce les derniers pas à faire. Quand il voulait faire des essais de lithographie, Niepce qui vivait à la campagne, rencontrait les plus grandes difficultés pour se procurer les pierres indispensables. C'est ainsi qu'il eut l'idée de remplacer les pierres par une plaque de métal et le crayon par la lumière solaire [22].

Après de nombreux et infructueux essais, il obtint pour la première fois en 1826 un résultat décisif [23]. Mais le procédé inventé par Niepce était encore très primitif. C'est au peintre Daguerre, que son invention du *diorama* avait conduit à l'étude des effets de la lumière, que revient le mérite d'avoir perfectionné

le procédé trouvé par Niepce au point de le rendre accessible à
tous [24]. Niepce mourut le 5 juillet 1833 dans la misère et son
œuvre, à laquelle il avait consacré, sa vie durant, toute sa fortune
et tous ses efforts, resta méconnue [25]. Daguerre qui avait connu
Niepce passa, à la mort de ce dernier, un contrat avec son fils,
Isidore, qui, pour tout héritage, n'avait reçu de son père que la
propriété de l'invention. En vertu de ce contrat, ils devaient
exploiter ensemble la découverte [26].

Niepce avait passé en vain des années à chercher des commanditaires. Au début, les tentatives de Daguerre ne furent pas plus
heureuses. Une souscription publique resta sans effet. Il n'y avait
pas moyen d'intéresser les commerçants. Les commanditaires
ne voulaient pas risquer leur fortune pour une invention qui leur
semblait encore peu digne de confiance, car les premières épreuves
photographiques ne permettaient pas d'en apprécier la valeur.
Il fallait tenir la plaque d'argent à contre-jour pour pouvoir y
distinguer quelque image. L'absence d'initiative chez les commerçants, si peu disposés à encourager la photographie, est un
signe caractéristique de l'évolution sociale de cette époque.
Car leur esprit n'était que peu exercé à la spéculation. Le vaste
épanouissement de l'industrie ne s'effectua qu'à partir des dix
premières années de la seconde moitié du siècle. Le commerçant
de 1830 se limitait aux affaires dont il pouvait prévoir à coup sûr
les résultats et les cours de la Bourse n'étaient pas encore le baro-
mètre de la richesse.

Daguerre, homme d'affaires, capable et ambitieux, avait
demandé que son nom fût mis en vedette dans la publicité donnée
à la découverte et, comme ancien directeur d'un diorama, il s'y
entendait. Dans les milieux de la bonne société, dans les salons,
il réussit à faire de son invention le thème favori des conversa-
tions [27]. Ce n'est sûrement pas par hasard que, vers la fin du premier tiers du siècle, au moment où les sciences exactes commençaient à prendre un vaste essor, des savants commencèrent à
s'intéresser à la photographie. Et ce n'est que quinze ans après
sa naissance que l'invention fut portée à la connaissance du grand
public.

« Tout ce qui concourt au progrès de la civilisation, au bien-
être physique et moral de l'homme, doit être l'objet constant
de la sollicitude d'un gouvernement éclairé, à la hauteur des

destinées qui lui sont confiées; et ceux qui, par d'heureux efforts, aident à cette noble tâche, doivent trouver d'honorables récompenses pour leur succès [28]. » Rien ne caractérise mieux l'orientation morale des Libéraux et leur attachement à l'idée du progrès que ces mots prononcés par le savant Gay-Lussac, lorsqu'il présenta à la chambre des Pairs le même projet de loi que, six semaines auparavant, Arago avait proposé à la chambre des Députés. Le projet de loi offrait à l'inventeur du *daguerréotype*, le peintre Daguerre, une rente viagère de six mille francs et au fils de son ancien collaborateur, Niepce, de quatre mille francs [29]. Le projet fut accepté par les Chambres à l'unanimité. L'État français avait ainsi acquis l'invention; il rendit le procédé public au cours d'une séance de l'Académie des sciences, le 19 août 1839 [30]. Fait fréquent à cette époque : quand on faisait des inventions, l'État renonçait à tout monopole et abandonnait la découverte à la libre initiative de celui qui voulait l'exploiter [31]. Aussi l'attitude de l'État envers la photographie n'a-t-elle rien de surprenant. Cette invention, d'ailleurs, se heurtait à des difficultés juridiques concernant le brevet, car le procédé, en soi, était si simple, qu'il était très difficile de le protéger.

L'élite intellectuelle de Paris, composée des savants et des artistes les plus connus de l'époque, se trouvait au complet à l'Académie des sciences. « Dès onze heures du matin, l'affluence était considérable. A trois heures, une véritable émeute encombrait les portes de l'Institut... Tout Paris se pressait sur les bancs réservés au public [32]. » La présence de savants étrangers prouva quel intérêt considérable l'invention avait soulevé en si peu de temps, bien au-delà des frontières françaises [33]. Arago lui-même exposa en détail la technique du procédé. Il fit remarquer à son auditoire attentif quels services extraordinaires la photographie allait rendre aux sciences. « Quel enrichissement l'archéologie allait recevoir de la technique nouvelle! Pour copier les millions et millions de hiéroglyphes qui couvrent, même à l'extérieur, les grands monuments de Thèbes, de Memphis, de Karnak, etc., il faudrait des vingtaines d'années et des légions de dessinateurs. Avec le daguerréotype, un seul homme pourrait mener à bonne fin cet immense travail [34]. » L'artiste va trouver dans le nouveau procédé un auxiliaire précieux, et l'art lui-même sera démocratisé par le daguerréotype [35]. Arago donna lecture d'une commu-

nication du peintre Delaroche. La science astronomique sera
elle-même enrichie par cette invention : «... il est permis d'espérer,
disait Arago, qu'on pourra faire des cartes photographiques de
notre satellite. C'est-à-dire qu'en quelques minutes on exécutera
un des travaux les plus longs, les plus délicats de l'astronomie [36]. »
Le panorama de ces conséquences multiples esquissé par Arago
dans son discours, permet de mesurer toute la portée de l'invention. La grandeur d'Arago se manifesta lorsque, avec un regard
prophétique, il déclara : « Au reste, quand les observateurs
appliquent un nouvel instrument à l'étude de la nature, ce qu'ils
en ont espéré est toujours peu de chose relativement à la succession de découvertes dont l'instrument devient l'origine. En ce
genre, c'est avec l'*imprévu* qu'on doit particulièrement compter [37]. »

L'exposé d'Arago fut un événement de la vie parisienne et
tous les journaux le commentèrent avec un vif intérêt [38]. Dans
les semaines qui suivirent, Paris, selon la presse, offrit le spectacle
inconnu jusqu'alors, d'une ville prise de la maladie de « l'expérimentation ». Chargés d'appareils pesant presque cent kilos,
d'instruments et d'accessoires, les Parisiens partaient à la
recherche de motifs. On suivait d'un œil de regret le soleil décli-
nant à l'horizon, emportant avec lui la matière première de
l'expérience. Mais dès le lendemain on pouvait voir à leur fenêtre,
aux premières heures du jour, un grand nombre d'expérimen-
tateurs s'efforçant, avec toute espèce de précautions craintives,
d'amener, sur une plaque préparée, l'image de la lucarne voisine
ou la perspective d'une population de cheminées. Au bout de
quelques jours sur les places de Paris, on voyait des appareils
braqués contre les monuments. Les physiciens, les savants de
la capitale, mettaient en pratique avec un succès complet, les
indications de l'inventeur [39]. On prédisait la ruine des graveurs,
on assiégeait les boutiques des opticiens où étaient exposés les
premiers appareils. La daguerréotypie constituait le thème
inépuisable des salons. Paris s'était enrichi d'une sensation
nouvelle.

Dès que la photographie fut du domaine public, surgirent des
inventeurs qui réclamaient le mérite de l'invention. En France,
le fonctionnaire Bayard, en Angleterre, le savant Talbot, avaient
tous deux trouvé un procédé de photographie sur papier, le
premier par l'iodure d'argent, le second par le chlorure. C'est

la preuve que la photographie répondait aux besoins du temps. La nouvelle invention avait éveillé l'attention et l'intérêt de presque tous les milieux de la société; cependant son imperfection technique et les frais extraordinaires qu'elle nécessitait à ses débuts ne la rendaient accessible, momentanément, qu'à la bourgeoisie aisée. Seuls quelques riches amateurs ou des savants pouvaient se permettre ce luxe. Le procédé Daguerre était fort incommode. D'abord la plaque d'argent, sensibilisée à la lumière, ne pouvait être utilisée sans une exposition préalable aux vapeurs d'iode [40]. La difficulté particulière tenait à ce qu'on ne devait préparer la plaque que peu de temps avant de l'employer et qu'il fallait la développer aussitôt après son exposition à la lumière solaire. Le temps de pose lui-même était souvent de plus d'une demi-heure. Arago indiquait dans son rapport trente minutes à trois quarts d'heure pour les préparatifs à eux seuls [41]. Pour les paysages, il fallait emporter de vastes tentes, des laboratoires roulants, parce que toutes les préparations chimiques devaient être faites sur place. Quand on faisait des portraits, la longue durée de pose était un calvaire pour la victime. Des gouttes de sueur coulaient du front et des joues, laissaient sur le visage poudré des traînées peu agréables à voir, et ces traces se reflétaient fidèlement sur l'image [42]. Outre ces difficultés, la daguerréotypie souffrait encore d'un inconvénient fondamental : elle n'était pas capable de fournir des copies. La chambre noire ne produisait jamais qu'une seule image. C'est pourquoi la daguerréotypie ne pouvait devenir une industrie importante. Les premiers appareils, vendus chez l'opticien Giroux à Paris, et qui avaient été construits par Daguerre, étaient grands et informes et pesaient, avec tous les accessoires, cinquante kilos net. Le prix variait entre trois cents et quatre cents francs, grosse dépense que pouvaient assumer peu de gens.

L'intérêt du public pour la photographie, et l'importance économique qu'on lui reconnut dès le début, favorisèrent les efforts d'amélioration de la technique qui, quelques années plus tard, permirent de diminuer le prix des appareils et de tous leurs accessoires.

Les perfectionnements commencèrent par l'optique. Dès la fin de 1839, le baron Séguier construisait un appareil dont le volume et le poids étaient le tiers de ceux de Daguerre [43]. Ces

appareils ne pesant plus que quatorze kilogrammes étaient,
à la rigueur, portatifs. Les opticiens Chevalier, Soleil, Leresbours,
Buron et Montmirel construisaient bientôt, aux environs de 1840,
des appareils nouveaux, dont les prix étaient très réduits. En 1841,
ils coûtaient 250 à 300 francs. Les plaques qui avaient coûté
un an plus tôt 3 à 4 francs, se vendaient maintenant de 1 à 1,50
franc. En 1846, la vente annuelle à Paris était d'environ 2 000
appareils et de 500 000 plaques. Le nombre des intéressés était
encore restreint à cause du prix. Finalement, l'objectif construit
par l'opticien Voigtlander fit nettement concurrence aux appareils
français, si bien que, sous la pression de cette rivalité, on dut
vendre les appareils français moins cher, et sous l'étiquette de
système allemand. Un catalogue de l'opticien Leresbours de
l'année 1842, indiquait pour cet appareil le prix de 200 francs [44].

Le perfectionnement eut pour résultat la réduction du temps
de pose. En 1839, année de la publication de l'invention de la
photographie, le temps nécessaire d'exposition de la plaque à
la lumière par un soleil éblouissant était de quinze minutes. Un an
plus tard, treize minutes à l'ombre suffisaient. En 1841, cette
durée est déjà réduite à deux ou trois minutes, et en 1842 il ne faut
plus que vingt à quarante secondes. Un ou deux ans plus tard, la
durée de la pose n'était plus un obstacle à la réalisation du portrait photographique.

Dans tous les pays d'Europe, la daguerréotypie eut un succès
considérable, mais c'est surtout en Amérique qu'elle fit fureur
et donna lieu à un commerce florissant. Dès la fin de 1839,
Daguerre envoyait un représentant aux États-Unis : François
Gouraud. Sa tâche consistait à organiser des expositions de
daguerréotypes et à donner des conférences sur le procédé. Il
devait stimuler la vente d'appareils et d'équipements, fabriqués
sous la direction de Daguerre par la firme Alphonse Giroux et
Cie à Paris. L'intérêt commercial de Daguerre explique sans
doute sa hâte de faire connaître son procédé à l'étranger.

En 1840, la société américaine n'était pas encore rigidement
stratifiée. Les chances d'ascension dépendaient entièrement de
l'initiative personnelle. Entre 1840 et 1860, l'époque où la daguerréotypie florissait en Amérique, celle-ci se transformait d'une
société agricole en une société industrielle, grâce aux inventions
techniques innombrables, dues au génie américain, telles que la

refrigération, la moissonneuse, de nouvelles méthodes de fabrication en série, l'augmentation du réseau de chemin de fer, etc. Les villes s'agrandissaient. C'est l'époque de la ruée vers l'or et de la naissance des villes de l'Ouest. La jeune nation était fière de ses accomplissements, et trouvait dans la photographie un moyen idéal pour s'immortaliser. Des Yankees entreprenants et ingénieux établirent des *saloon* photographiques dans les villes, ou sillonnèrent la campagne et les campements dans des roulottes, transformées en ateliers de daguerréotypie. On a estimé qu'il y avait en 1850 déjà deux mille daguerréotypistes. En 1853, on évalue à trois millions les photos prises par an. La production totale entre 1840 et 1860 était de plus de trente millions de photos. Les prix dépendaient du format et variaient entre $ 2.50 et $ 5. On estime que les Américains ont dépensé entre 8 et 12 millions de dollars en 1850 pour des portraits seuls qui constituaient 95 % de la production photographique [45]. Dans la jeune démocratie américaine, ce nouveau moyen d'autoreprésentation correspondait parfaitement au besoin de pionniers, fiers de leur réussite.

Mais ce n'est qu'au moment où la plaque métallique de Daguerre, qui ne pouvait servir à la reproduction, fut remplacée par des négatifs en verre, que se trouvèrent remplies les conditions indispensables au développement de l'industrie du portrait. Le procédé au collodion, découvert par le peintre Le Gray, ouvrait la voie au portrait photographique, et en même temps, au développement de certaines branches de l'industrie, comme la construction d'appareils, l'industrie chimique, liées à la fabrication des plaques. Il en fut de même pour l'industrie du papier qui s'enrichit d'une nouvelle spécialité et de petites industries proliférèrent comme, par exemple, la confection de cadres spéciaux et d'albums. Ainsi, peu à peu, disparaissait la daguerréotypie et l'histoire de la photographie proprement dite commençait.

Dès lors, la photographie prit une importance assez grande pour que les problèmes s'y rattachant prissent un caractère d'urgence au début de la seconde moitié du dix-neuvième siècle.

PREMIÈRES PHOTOGRAPHIES

La première photo du monde
par Nicéphore Niepce en 1826.

Le Louvre, J.-M. Daguerre (1839).

Daguerréotype (vers 1840).

Les premiers photographes

Toute grande découverte technique est toujours l'origine de crises et de catastrophes. Les vieux métiers disparaissent, de nouveaux surgissent. Leur naissance, d'ailleurs, signifie progrès, bien que les activités menacées par eux soient condamnées à sombrer.

Au moment de l'invention de la photographie, commença une évolution au cours de laquelle l'art du portrait, sous les formes de la peinture à l'huile, de la miniature, de la gravure, tel enfin qu'il était exercé pour répondre à la demande de la bourgeoisie moyenne, fut presque complètement évincé. Cette évolution se fit avec une si extraordinaire rapidité, que les artistes qui travaillaient dans ces derniers genres perdirent presque tous leurs moyens d'existence. Ce fut parmi eux que se recrutèrent les premiers de ceux qui s'adonnèrent à la nouvelle profession. Et les artistes qui, la veille encore, attaquant la photographie comme l'instrument d'un métier « sans âme et sans esprit » et n'ayant rien de commun avec l'art, ceux-là mêmes, quand la nécessité économique eut brisé leur opposition, se virent contraints d'adopter la nouvelle profession et de s'en servir peu à peu comme de moyen d'expression. Les expériences des métiers qu'ils avaient abandonnés les servirent. C'est en effet non seulement à leurs qualités d'artistes, mais aussi à leurs capacités d'artisans, qu'on doit la haute qualité de leur production photographique [46]. La découverte technique de la photographie leur donna l'idée d'une forme artistique nouvelle qui, de son côté, inspirait la technique, lui donnait une orientation et lui imposait des devoirs.

Dans les premiers temps du portrait photographique, on cons-

Nadar dans la nacelle de son ballon « Le Géant » (1863).

tate un fait d'un intérêt extraordinaire. La photographie, au
seuil même de son développement, alors qu'elle avait une technique encore bien primitive, jouit d'un fini artistique exceptionnel. Au fur et à mesure de ce développement, on constate
une déchéance qui s'aggrave de dix en dix ans. « Il y a sûrement
un sens très profond dans le fait que l'activité des premiers
artistes photographes s'exerce pendant les dix premières années
qui précèdent son industrialisation [47]. »

Ces premiers photographes n'avaient aucune prétention à
l'art, le plus souvent ils travaillaient pour eux-mêmes, modestement, leurs œuvres n'étant connues que d'un cercle restreint
d'amis. Cette prétention à l'art, c'étaient les commerçants de
la photographie qui la manifestaient, car à mesure que la qualité
de leurs travaux diminuait et perdait tout caractère artistique,
ils espéraient, en parant leur marchandise de l'étiquette de l'art,
allécher davantage le public.

Beaucoup des premiers photographes sortaient du milieu qu'on
appelle généralement la *Bohème*, peintres qui n'avaient pas réussi
à se faire un nom, littérateurs qui se tiraient plus ou moins bien
d'affaire en écrivant des articles d'occasion, miniaturistes et
graveurs que la nouvelle invention privait de gagne-pain, bref,
toutes sortes de talents moyens et petits qui, pour la plupart,
n'avaient pu percer, se tournèrent vers le nouveau métier qui leur
promettait une meilleure subsistance [48].

Au début de la seconde moitié du siècle, la technique de la
photographie était assez achevée pour ne plus exiger de ses professionnels des connaissances spéciales. La photographie était
sortie du domaine de l'expérimentation scientifique. Les usten-
siles nécessaires étaient fabriqués par des industries spécialisées.
La préparation des bains de développement et de fixage ne réclamait plus de connaissances chimiques particulières. On pouvait
se procurer des appareils de formats variés chez un grand nombre
d'opticiens. On publia toute une série de manuels de photographie, accessibles à tous les profanes, qui fournissaient une
description exacte des procédés. On pouvait installer un atelier
photographique pour quelques centaines de francs.

En même temps, nous l'avons signalé, le portrait photographique continuait à se développer selon deux directions opposées
qui, examinées du point de vue esthétique, représentaient l'une

une ascension, l'autre une déchéance. Ce chapitre a pour objet la première phase du portrait photographique : *l'artiste photographe.*

Un des photographes les plus distingués de cette époque fut le dessinateur, caricaturiste, écrivain et aéronaute Félix Tournachon Nadar qui ouvrit en 1853 un atelier photographique rue Saint-Lazare. Sa destinée est un exemple typique de l'avènement de cette première équipe d'artistes photographes. Il naquit à Paris en 1820 [49] et il passa sa première jeunesse à Lyon où sa famille était établie depuis des générations. Son père, par tradition de famille, était libraire, éditeur et imprimeur. La famille Tournachon appartenait à la bourgeoisie intellectuelle de province, elle était aisée, d'esprit royaliste, influente dans les milieux de la bonne société et il était de toute évidence que ses fils devaient s'adonner aux études. On envoya Félix Tournachon à Paris où il étudia, au collège Bourbon, en vue de se préparer à l'Université. Loin de sa famille, sans la pression de l'autorité paternelle, il suivait ses études très irrégulièrement. Lorsque plus tard, pour obéir à la volonté de ses parents, il étudia la médecine à l'École secondaire de Lyon – car un médecin était bien vu dans la bonne société –, il fit plus de littérature que d'anatomie. Mais tout à coup cette existence prit fin. Le père fit faillite à la suite de grandes dépenses occasionnées par la publication d'une édition de luxe de Buffon et d'un lexique en sept langues [50]. Ce fut l'interruption des études. Félix Tournachon ne les regretta sûrement pas outre mesure. Il devait maintenant trouver un moyen de gagner de l'argent. Il se tourna vers le domaine qui, au collège déjà, était celui de ses préoccupations, la littérature. A dix-huit ans, sous le pseudonyme de Nadar, il commença à écrire de petits articles. Il collabora au *Journal et fanal de Commerce* et à l'*Entr'acte Lyonnais* [51]. A vingt-deux ans il revint à Paris, au centre de la vie sociale et intellectuelle. Le nombre des habitants, qui était de six cent mille en 1776, s'était accru jusqu'à atteindre plus d'un million en 1840 [52]. Au courant de la population qui, de la province, se déversait dans la ville, appartenaient des intellectuels qui, attirés par la vie plus aventureuse de la grande ville, venaient y chercher des stimulants et des chances d'élévation. Nadar était de ceux-là. Peut-être espérait-il pouvoir se créer des relations dans les milieux d'artistes, grâce à son parent, le carica-

turiste Gavarni, collaborateur attitré d'un journal humoristique
fameux à cette époque, *le Charivari* (qui servit à assurer à Daumier
ses plus grands triomphes). Il le poussa sûrement à s'essayer,
lui aussi, dans la caricature. Nadar qui n'avait pas d'argent pour
aller dans une école de dessin, se forma par son propre travail
et bientôt parurent ses premières caricatures. En même temps
il écrivait des articles pour les revues *Vogue, le Négociateur,
l'Audience* et commençait à étudier la peinture. Tout ce qui
avait trait à l'art l'intéressait. Bientôt parurent ses premières
nouvelles dans *le Corsaire* [53]. Il ne tarda pas à se lier avec un
groupe de camarades de son âge qui, comme lui, « sans ou avec
peu de revenus » vivaient dans des hôtels à bon marché ou des
mansardes du Quartier latin « insouciants du lendemain », séduits
par la vie *libre* des artistes et son cadre romantique.

L'éclairage électrique n'existait pas encore; seules quelques
rares lanternes donnaient par-ci par-là une lueur avare dans ces
rues du Quartier latin, étroites, mal pavées. Vers 1836, le seul
moyen de communication à Paris était la voiture omnibus; encore
n'y avait-il pas plus d'une centaine de voitures de ce genre. Dans
les cafés et les crèmeries de la rive gauche, dans un milieu de
petits fonctionnaires, d'ouvriers, d'artisans et d'étudiants, Nadar
fait connaissance des membres de la *Bohème* et s'incorpore à
leur bande [54]. Murger, Champfleury, Delveau et autres sont les
meilleurs amis de Nadar. En 1843, ils fondent le *Club des Buveurs
d'eau* où ils discutent littérature et autres sujets d'art [55]. Avec
eux, et devenu un des leurs, Nadar mène « la vie très irrégulière
de la Bohème [56] ».

L'existence de la Bohème au milieu de la société était, pour
l'époque, un phénomène caractéristique. L'industrialisation se
faisait aussi sentir dans les sphères de l'art. Elle mettait son em-
preinte sur des manifestations qui semblaient le plus étrangères
au développement économique, comme la littérature. La transformation dont la littérature fut l'objet, se fit jour d'abord dans
la presse. L'élargissement de la publicité, dès lors ressource principale du journal, et l'introduction du roman-feuilleton en 1836,
furent les changements fondamentaux à partir desquels se déve-
loppa une nouvelle littérature industrielle.

L'organisation de quelques journaux, dont tous les autres
durent bientôt suivre l'exemple, d'après les principes de la libre

concurrence dans l'économie capitaliste, a pour premier résultat de réduire presque de moitié les prix des abonnements et, par voie de conséquence, de tripler le nombre des lecteurs et de permettre un agrandissement du format. De ce fait, la littérature, surtout celle des journaux, commence à prendre un caractère différent [57]. Elle se trouvait contrainte de se plier au goût du public et de la masse des abonnés, pour que l'afflux de lecteurs ne diminuât pas. Pour l'écrivain, la valeur argent était souvent devenue la mesure de la marchandise littéraire, et c'est elle qui déterminait sa production littéraire [58].

Par là, la position même des artistes au milieu de la société bourgeoise posait un problème nouveau. Même à la cour des monarques absolus, l'artiste était en rapport personnel avec son client; sa position était donc plutôt celle d'un artisan. Ces relations directes entre employeur et employé disparurent dans le régime capitaliste. A leur place apparut, avec la dépersonnalisation des rapports humains, l'artiste *libre* dans un milieu *libre* de clients qui, si l'artiste n'essayait de s'adapter au goût à la mode, le livraient sans façon à l'Hôtel-Dieu ou à la morgue [59].

Grâce à l'instruction, démocratisée par la révolution bourgeoise, l'art cessa d'être le privilège de quelques nobles ou grands bourgeois cultivés. La pratique de l'art était devenue accessible à toutes les classes de la société. Il s'ensuivit, à l'intérieur de la structure sociale des milieux intellectuels français, une transformation décisive. Aux environs de l'année 1843, quatre ans après que la photographie fut passée dans le domaine public, apparut pour la première fois à Paris une classe de prolétaires intellectuels : la Bohème.

Ce qu'on entendait sous le nom de Bohème en 1840 ne constituait pas en soi, du point de vue social, un tout homogène. Les individus les plus favorisés de la Bohème, qui faisaient presque tous partie de la *Jeune France*, frisaient la quarantaine, tandis que Nadar et ses amis n'avaient que vingt ans ou à peu près [60]. Le premier groupe était formé de gens des milieux artistiques qui étaient arrivés et qui jouissaient d'un certain prestige et d'une certaine renommée. Presque tous pesaient sur l'opinion publique et ils exerçaient, en tant qu'artistes et écrivains, une très grande influence. Par leurs origines, ils appartenaient dans une forte proportion à la grande bourgeoisie, et ils jouaient dans certains

salons un rôle important. Par contre, en ce qui concerne la couche
inférieure de la Bohème, celle qui était véritablement prolétarisée,
très peu de ses membres réussissaient à s'affirmer; ils venaient
tous de la petite bourgeoisie pauvre de province, de la campagne,
de l'artisanat des grandes villes ou, comme Nadar, de la bourgeoisie déchue [61].

Comme ses amis, Nadar essaya de se tirer d'affaire en vendant
des articles et des dessins. Les choses tournèrent vite pour lui
comme pour la plupart d'entre eux. Les commandes ne suffisaient
plus à leur subsistance. Il n'y avait pas beaucoup de journaux
pour lesquels ils pussent travailler. Le bon bourgeois ne voulait
rien savoir de ce groupe mal famé, et parmi les gens de la Bohème,
le mot *bourgeois* était la pire insulte [62]. Ils se sentaient en marge
de la société, et ils l'étaient réellement en raison de leur misère
sociale. En outre, ils représentaient une jeune génération qui, en
raison de son attitude intellectuelle due à son existence en marge
de la société et à ses origines sociales, se trouvait en opposition
avec la classe bourgeoise régnante et ses conceptions artistiques.
La politique artistique du *juste milieu* leur coupait toute possibilité
de manifester leurs conceptions car la plupart des journaux et
des gazettes avaient pour lecteurs ce public qu'ils méprisaient.

Avec le pinceau et la plume, Nadar part d'abord en campagne
contre ces bourgeois [63]; et en 1848, il fait partie de ces intellectuels qui affichent leurs sympathies pour la Révolution et y parti-
cipent activement. Un de ses amis les plus intimes, à cette époque,
est Louis Blanc [64]. Dans les années qui précédèrent la Révolution,
il avait accepté des situations qui lui procuraient un revenu assuré. Il fut le secrétaire permanent de Charles de Lesseps et, plus
tard, du député V. Grandin, tous deux, comme lui, d'esprit
républicain. Lorsque éclata la Révolution, il quitta sa situation
du jour au lendemain et décida de partir pour la Posnanie avec
son ami Fauchery, pour prendre part au soulèvement polonais.
Pendant son voyage à travers l'Allemagne, il eut la malchance
d'être arrêté, s'étant probablement fait remarquer comme révolutionnaire, et fut interné à Eisleben durant toute la période
des troubles [65].

De retour à Paris, il se jette à nouveau corps et âme dans la
littérature. Il écrit des articles, des nouvelles, publie des dessins
et des caricatures. En 1849, il fonde *la Revue comique* et fait des

caricatures humoristiques pour le *Journal pour rire* et pour *le Charivari*. Il se marie très jeune. Comme il dépense et gaspille beaucoup, il est toujours en proie aux difficultés matérielles. Et maintenant il doit nourrir aussi sa famille. Un jour, recevant la visite d'un ami, l'écrivain Chavette, Nadar se plaint de ses ennuis matériels. Chavette lui signale qu'un de ses amis veut se débarrasser, pour quelques centaines de francs, d'un équipement complet de photographie, et lui propose de s'établir photographe [66]. Il doit, lui dit-il, faire au moins cet essai, car le métier est en vogue et promet un excellent rendement. Nadar, un peu choqué de cette proposition, commence par résister. Il a, comme tous les artistes de son temps, des préventions contre la photographie. Trop d'éléments suspects, aux yeux des artistes, se sont déjà introduits dans le métier de photographe et le déconsidèrent. Laisser l'art? Ne voir que le gagne-pain? Nadar hésite. Mais bientôt, poussé par la nécessité, il se résout à embrasser la nouvelle profession. En 1853, quatorze ans après l'entrée de la photographie dans le domaine public, âgé de trente-trois ans, il ouvre un atelier de photographie 113, rue Saint-Lazare.

Chez Nadar, qui connaît tout Paris et dont les photographies deviennent bientôt célèbres, afflue pour se faire photographier, tout ce qui compte dans les arts, la littérature et la politique. En quelques années, il devient une des célébrités parisiennes. Son atelier est devenu le rendez-vous de l'élite intellectuelle de Paris. Le peintre Eugène Delacroix, le dessinateur Gustave Doré, le compositeur Giacomo Meyerbeer, l'écrivain Champfleury, le critique Sainte-Beuve, le poète Baudelaire, le révolutionnaire Bakounine et bien d'autres grands personnages de l'époque, viennent poser chez lui [67]. L'appareil rend avec une perfection magistrale toutes ces têtes de caractère. Avec la plupart de ses modèles d'ailleurs, il est intimement lié par des relations d'amitié et des intérêts artistiques communs. Nadar, en effet, n'a abandonné ni la littérature, ni la caricature et il continue à collaborer assidûment à différents journaux.

La première clientèle du portraitiste photographe se recrute dans la bourgeoisie, et surtout chez les artistes et les intellectuels. L'actrice qui, chaque soir, doit paraître en public, n'hésite pas non plus à s'exposer à l'exacte reproduction de la plaque sensible. Les artistes consentent volontiers à reconnaître une nouveauté, car ils

sont beaucoup moins liés par les traditions et les préjugés que ne le
sont les masses de la petite bourgeoisie qui, elle, commence toujours par regarder avec méfiance les progrès de la technique.

Devant les premières photographies que Nadar fixe sur ses plaques, on reste fasciné. Ces visages vous regardent, vous parlent
presque, avec une vie saisissante. La supériorité esthétique de ces
images réside dans l'importance prépondérante de la physionomie;
les attitudes du corps ne servent qu'à souligner l'expression. Nadar
fut le premier à découvrir le visage humain par l'appareil photographique. L'objectif plonge dans l'intimité même de la physionomie. Ce que poursuit Nadar ce n'est pas la beauté extérieure du
visage; il cherche surtout à faire ressortir l'expression caractéristique d'un homme. La retouche, qui ôte au visage toute expression
intérieure et en fait une image plate, léchée et sans vie, appartient
à une époque plus récente de la photographie. Pour Nadar, à cette
époque, la retouche ne servait qu'à faire disparaître, par exemple,
une petite tache accidentelle. Nous reviendrons plus tard sur cette
pratique de la retouche et sur le rôle qu'elle joua dans l'évolution
du goût et le changement de la clientèle.

Aujourd'hui que nous contemplons avec admiration ces premières photographies, une question se pose : pourquoi les photographes d'alors réussirent-ils à faire de leur appareil un instrument
artistique? En ce qui concerne Nadar, la raison, il faut sûrement la
chercher en ce que, artiste jusqu'au bout des ongles, il possédait
une sensibilité du goût qui l'aidait à employer dans de justes mesures les procédés photographiques. Mais ce qui importe avant tout,
c'est qu'il était lié à ses modèles par des relations personnelles et
amicales. Un intérêt tout personnel l'attachait au destin et au
développement artistique de chacun d'eux. Les relations entre le
photographe et le modèle n'étaient pas encore troublées par la
question du prix. La photographie n'était pas encore une marchandise; la valeur de ses œuvres ne s'établissait pas en fonction du
nombre de billets de banque. Les artistes qui se laissaient photographier étaient venus chez lui pleins de bonne volonté. Au stade
où en était la technique, la réussite du portrait dépendait encore
pour une grande part de l'effort du modèle lui-même. « La puissance synthétique de l'expression arrachée au modèle par la
longue pose, est la raison principale qui fait de ces images, lumineuses dans leur modestie, des œuvres au charme profond et

durable, comme celui d'un portrait bien dessiné ou bien peint, et que ne possèdent pas les photographies récentes [68]. »

Les portraits de Nadar sont représentatifs du style de la première époque. Ses œuvres, avec celles d'un certain nombre d'autres photographes qui travaillaient en même temps que lui et dans les mêmes conditions, comme Carjat, Robinson, Le Gray, etc., peuvent se réclamer de l'art, parce que, comme tout art véritable, elles sont désintéressées. Ce qui caractérise essentiellement cette première époque, c'est la conscience professionnelle, l'absence de fausses prétentions, la culture intellectuelle de ceux qui exerçaient le métier. Quand on voit ce que représentent pour nous les portraits de Baudelaire que nous ont laissés Nadar et Carjat, il est difficile de ne pas ressentir, pour les photographes, l'admiration et la gratitude dues à un artiste.

Mais ce genre de travail présente un grave inconvénient pour Nadar. La plupart de ses amis n'ont pas beaucoup plus d'argent que lui-même. Nadar, qui faisait le plus grand nombre de ses images par amitié, n'en tirait pas de bien appréciables résultats économiques. Il se tourne tout entier vers le journalisme, laissant son atelier qui se trouvait maintenant près du Panthéon, à son frère. Mais au bout d'un temps assez court, il revient à la photographie qui lui promettait quand même un revenu assuré s'il consentait à se plier au goût d'une nouvelle clientèle venue d'autres milieux.

C'est alors que commence une deuxième époque du style photographique. Les photographes se virent obligés d'adapter leur métier au goût d'un nouveau public constitué par la bourgeoisie riche.

Le retour de Nadar à la photographie l'entraîne dans un procès avec son frère Adrien, à cause du nom de Nadar sous lequel l'un et l'autre prétendaient exercer leur profession. Les tribunaux lui reconnurent à lui seul le droit de porter le nom. Le nom de Nadar devint tellement célèbre dans les milieux bourgeois que ses gains commencèrent à devenir considérables. Chaque portrait lui était payé en moyenne cent francs l'exemplaire, ce qui lui permettait d'employer tout un personnel de collaborateurs.

Vers la même époque, les frères Godard qui s'occupaient du grand problème de l'aéronautique, faisaient beaucoup parler d'eux. Ils tenaient tout Paris en haleine lorsqu'ils montaient dans un ballon de leur construction. Nadar, qui s'enthousiasmait facilement, et dont l'esprit était fertile en trouvailles, fut vivement attiré par leurs essais. Il lui vint l'idée de prendre des photographies en ballon [69]. Il se lança avec enthousiasme dans la réalisation de cette nouvelle idée. Les premiers essais échouèrent en raison de la technique primitive de l'appareil – c'était encore l'époque du procédé humide au collodion – et Nadar avait dû aménager un cabinet noir dans la nacelle pour pouvoir y préparer les plaques avant l'exposition. A ces difficultés s'ajoutait la longueur du temps de pose, si bien que c'est seulement au printemps de 1856 qu'il put réaliser ses premières prises de vues [70].

Cette expérience fit grand bruit. On songeait à toutes les possibilités nouvelles qu'elle ouvrait, particulièrement à l'art militaire. Nadar, qui avait pris un brevet d'invention, fut plus tard, pendant le siège de Paris par l'armée allemande, nommé commandant d'une compagnie d'aérostiers. Il était chargé de suivre les mouvements de l'ennemi de la nacelle d'un ballon qui flottait au-dessus de la place Saint-Pierre et de prendre, si possible, des photographies [71]. L'aérostation l'intéressa bientôt au point qu'il décida d'apprendre le nouvel art auprès des frères Godard. Il signa avec eux une convention selon laquelle ils travailleraient ensemble à amplifier et améliorer l'invention. Après quelques ascensions dans des ballons ordinaires, il se fait construire un immense aérostat à hélice qu'il nomme *le Géant*. Il pensait avoir réalisé par cette construction une invention destinée à faire époque. Tout le problème aéronautique du temps était celui de la direction; on pouvait bien s'élever en ballon à quelques centaines de mètres mais on était alors à la merci de tous les courants atmosphériques. Nadar était convaincu d'avoir résolu le problème de la direction. Tout Paris s'était assemblé, le 4 octobre 1863, lorsqu'il s'éleva en l'air dans son ballon *le Géant*.

L'essai échoua. Le ballon alla atterrir à Meaux. Le 18 octobre, il renouvela sa tentative, emmenant avec lui sa femme et plusieurs amis. Cette fois-ci, le ballon alla jusqu'à Hanovre où il atterrit d'une façon si malheureuse que lui, sa famille et ses amis échappèrent de justesse à la mort. L'essai avait encore échoué. Pourtant il recommença au mois de septembre suivant à Bruxelles, et une année plus tard à Lyon. Le plus clair résultat de l'aventure fut que toutes ses tentatives avaient consumé une immense fortune. *Le Géant* lui avait coûté des sommes folles. A la suite d'un long

procès, il parvint à faire accepter par ses associés, les frères
Godard, de supporter la moitié des pertes [72]. Mais cela ne l'aida en
rien à rétablir ses affaires. Après tant d'essais malchanceux, il se
retrouvait pauvre, accablé de dettes, sans autre ressource pour
améliorer sa situation que de revenir à la photographie et s'y
consacrer.

Si la destinée de Nadar résume l'évolution des artistes photographes de son temps, la vie du peintre Le Gray en illustre la fin.
Gustave Le Gray, né à Paris, était l'élève du Père Picot, dont
l'atelier jouissait d'une certaine renommée sous la monarchie de
Juillet. Le Père Picot continuait la tradition de David, de Gérard et
de Girodet; il a sa place dans la peinture de l'époque où brillent
les noms d'Alaux, de Steuben, de Vernet, de plusieurs de ces
célébrités qui collaboraient à l'achèvement du château de
Versailles. Le Gray ne trouva pas dans ces cercles artistiques les
stimulants qu'il cherchait, ce qui n'a rien d'étonnant, car ces
artistes appartenaient par définition au *juste milieu*. Jeune encore,
mais déjà père de famille, il était continuellement en proie aux
difficultés matérielles et ne savait plus comment faire pour gagner
le nécessaire. Ballotté entre les conflits artistiques et les difficultés
pécuniaires, il ne connaissait d'autre joie que de se retirer dans un
petit laboratoire qu'il s'était aménagé à côté de son atelier, dans le
chemin de ronde de la barrière de Clichy. Comme beaucoup de
peintres de ce temps, il se livrait à des travaux de chimie, et surtout
à la recherche des couleurs fondamentales. L'invention de la
photographie l'intéressa tout particulièrement par son côté chimique. Il en vint bientôt à consacrer tout son temps au procédé
nouveau. Après de longues années de recherches, il parvint à
l'invention du procédé sec au collodion qui joua un rôle décisif
dans l'histoire de la photographie. Et pour finir, lui aussi, comme
beaucoup d'autres artistes de son temps, songea à se faire photographe, dans l'espoir d'augmenter ses ressources par l'exercice de
ce métier florissant. La famille l'encouragea dans ce projet, les amis
l'y poussèrent. Et Le Gray abandonna la peinture pour devenir
photographe. Il trouva un bailleur de fonds, un riche commanditaire, le comte de Briges qui lui loua, à la limite de Paris où
s'étend aujourd'hui le riche quartier de la Madeleine, une maison
où il pourra s'installer. En ce temps-là le quartier était encore à
peine habité. Tout au plus y rencontrait-on quelques promeneurs

solitaires flânant devant les rares boutiques. Les terrains s'y achetaient pour une bouchée de pain. C'était un peu avant le commencement de l'extension de Paris vers l'ouest. L'endroit était fort bien choisi, comme il apparut par la suite. Presque en même temps, dans la même maison, s'établirent deux autres ateliers photographiques. Au rez-de-chaussée les frères Bisson ouvrirent une boutique élégante devant laquelle bientôt le public se mit à stationner, admirant les belles photographies, les vues de la bibliothèque du Louvre et de la Suisse. Les frères Bisson, nés à Paris, l'un en 1814 et l'autre en 1826, étaient les fils d'un peintre héraldique. L'aîné qui, au début, exerçait le métier d'architecte, entra en 1838 dans le service municipal et commença vers la même époque à s'occuper de chimie. Il devint l'élève de Dumas et de Becquerel et, en dehors de ses essais photographiques, il inventa le bronzage et le laitonnage de la fonte de fer et de zinc, devenus depuis l'objet d'une exploitation industrielle rémunératrice. Le second dessinait et peignait des armoiries, instruit en cela par son père. Les deux frères s'associèrent plus tard pour exercer la daguerréotypie. Tout comme le peintre Le Gray, ils trouvèrent, eux aussi, aux environs de 1848, un bailleur de fonds qui leur facilita l'ouverture d'un bel atelier. Ils s'établirent dans la même maison où Le Gray avait installé son atelier à l'étage supérieur. Leur boutique faisait sensation. Ce n'était pas seulement le luxe et le bon goût avec lesquels elle était arrangée qui attirait le public, c'était aussi le fini des œuvres qu'ils exposaient à leur devanture. La boutique devint bientôt un lieu de rencontre des beaux esprits, un rendez-vous des artistes fameux. Assis sur un grand divan, les visiteurs se passaient les photographies de main en main. On discutait, on parlait des nouveaux progrès de la photographie. Théophile Gautier, l'écrivain Louis Cormentin, Saint-Victor, le critique d'art Janin, Gozlan, Méry, Préault, le peintre Delacroix, Penguilly, les Leleux et bien d'autres se pressaient dans la boutique des Bisson. Avant de quitter les frères Bisson, les visiteurs montaient toujours chez le portraitiste Le Gray et se faisaient montrer ses travaux récents.

Par contre, la capacité d'achat de ce public était aussi faible que sa compréhension de l'art nouveau était grande. Presque tous manquaient d'argent. Le Gray, dans son atelier, faisait libéralement cadeau de ses photographies; et l'on doit songer combien d'efforts et de travail représentait une seule épreuve, en ces premiers temps de la photographie. Au rez-de-chaussée les Bisson faisaient de même. Le prix élevé qu'on demandait alors pour chaque portrait effrayait le public bourgeois dont l'affluence aurait dû assurer l'existence des photographes. Quand le bailleur de fonds et le riche commanditaire de Le Gray et des frères Bisson virent que la nouvelle invention ne promettait pas grand-chose, ils se retirèrent. En conséquence Le Gray et les frères Bisson, par manque d'esprit commercial, furent bientôt forcés de fermer atelier et boutique. Le coup décisif qui devait les ruiner totalement fut l'apparition de Disderi qui, grâce à un nouveau format de son invention, put vendre ses portraits cinq fois moins cher qu'on ne l'avait fait jusque-là. Il fallait choisir entre deux attitudes : ou bien en face de la nouvelle concurrence produire comme Disderi des portraits en masse et alors le cachet et l'aspect artistique devaient passer au second plan ou céder la place à une nouvelle tendance. Le Gray, pour qui la question artistique jouait un rôle capital, ne voulut pas se laisser aller à cette « fabrication en gros »; aussi ne lui resta-t-il qu'à liquider au plus vite son atelier. Découragé et déçu, il partit pour l'Égypte où il réussit à obtenir une place de professeur de dessin. C'est là qu'aigri il passa ses dernières années. Il mourut en 1868. De ses images quelques douzaines nous sont restées qui témoignent des qualités artistiques qu'il mit en œuvre dans la photographie. En véritable artiste il dédaigna la retouche autant que la pose. Sa photographie de Napoléon III est un document typique du caractère de l'empereur, et nous éclaire davantage sur lui que les innombrables portraits peints de l'époque.

Le sort de Le Gray devait être celui de tous ces premiers photographes pour qui le côté commercial du métier ne jouait pas un rôle important. Ils furent presque tous écrasés par l'industrie qui allait de l'avant sans arrêt, en même temps que s'élevaient de nouvelles couches sociales. Bien d'autres métiers d'ailleurs étaient détruits ou transformés par cette montée industrielle.

Parmi les rares exceptions qui ne se laissèrent pas évincer, il faut compter Nadar. Lorsque Disderi eut réussi à augmenter ainsi à vue d'œil le nombre de ses clients, Nadar accepta le nouveau format et les nouveaux prix. Il introduisit dans ses travaux la retouche pour laquelle il employait des aides supplémentaires.

Lui-même ne faisait que diriger les séances de pose et recevoir les visiteurs. Nadar redevint un homme riche qui pouvait s'acheter des maisons et des terrains. Mais au point de vue esthétique, ses images perdirent de plus en plus d'intérêt car il fallait suivre le goût du public si l'on ne voulait pas voir diminuer l'affluence des clients; c'est ce goût qui le porta à introduire dans son art la pose exagérée. Ce n'est que très rarement qu'on voit percer dans ses images quelque chose de cette qualité qui jadis avait fait de Nadar un des plus grands artistes photographes de France.

A cette toute première époque de la photographie il faut ajouter le nom de David Octavius Hill. Quatre ans seulement après la proclamation solennelle en France de l'invention de la photographie – qui en était encore au stade primitif de la daguerréotypie – en 1843, le peintre Hill parvint en Angleterre, avec l'aide technique de Robert Adamson, à obtenir des images photographiques d'une beauté qui, à bien des égards, n'a pas été dépassée depuis.

Hill est né à Perth en Écosse, en 1802. C'était le fils d'un libraire. Il est mort à Édimbourg en 1870. Presque toute sa vie se passa dans la tranquillité de cette belle ville. Ce fut un peintre d'une valeur médiocre, hautement estimé toutefois par ses compatriotes. Son œuvre se compose surtout de paysages romantiques dans le goût de l'époque. Une seule fois, mais une bonne, il fut amené à réaliser une tâche d'une ampleur exceptionnelle. En mai 1843, il prit part à la fondation de l'Église libre d'Écosse. Ce schisme fut l'occasion d'une immense manifestation qui eut lieu dans le grand hall de Tanfield à Édimbourg. Plus de deux cents ecclésiastiques s'assemblèrent pour proclamer leur retrait de l'église presbytérienne et pour fonder une communauté autonome. Hill reçut la commande de fixer pour toujours ce premier synode; malheureusement il n'était qu'un faible portraitiste, c'est ce qui le décida à utiliser la photographie.

Le procédé photographique connu en Angleterre était la *calotypie* inventée par le savant Fox Talbot vers la même époque que la daguerréotypie. Durant un voyage en Italie Fox Talbot avait utilisé la chambre obscure pour se faciliter le dessin des paysages, c'est ainsi qu'il fut amené à la recherche, puis à la découverte d'un procédé de négatif en papier rendu transparent avec de la cire. Ces négatifs avaient l'avantage de permettre des épreuves multiples, ce qu'on ne pouvait obtenir avec le daguerréotype.

C'est ce procédé qui servit à Hill. L'appareil qu'il utilisa était d'un modèle semblable à celui construit par Daguerre; son objectif était si faible que les modèles étaient obligés de poser de trois à six minutes en plein soleil. Il est à noter que Hill resta toujours fidèle à son premier objectif, en dépit des perfectionnements ultérieurs; il lui parut sans doute que le flou ainsi obtenu donnait un résultat plus artistique. Pendant les années qui suivirent 1843, il se consacra entièrement à la photographie. Ses portraits sont admirables, non seulement par le sens artistique qui s'y révèle, mais encore par l'application ardente de ses modèles; application qui ne donne jamais l'impression de l'artificiel, mais d'un naturel intense, comme si chacun, dans une espèce de tension religieuse, cherchait à donner le meilleur de soi. Tout cela aboutit à un tableau monstre de cinq mètres carrés au moins où près de cinq cents personnes sont entassées. Ce tableau, qui l'occupa une vingtaine d'années, est maintenant oublié tandis que les photographies qui avaient servi d'esquisses resteront pour toujours parmi les documents les plus émouvants des premiers temps de la photographie [73].

La bonne époque du premier stade de la photographie prit fin quinze ans après la publication de l'invention de Niépce. Les artistes photographes cédèrent la place aux photographes de métier ou devinrent eux-mêmes des professionnels pour qui la question de gain primait celle de la qualité. Malgré leurs efforts pour dissimuler les préoccupations d'ordre économique sous des prétentions artistiques, la controverse menée depuis la naissance de la photographie restait ouverte : la photographie est-elle ou non un art? La question était plus que jamais débattue, mais ces discussions n'aidèrent en rien à relever le niveau du goût parmi la génération nouvelle de photographes.

Le progrès technique n'est nullement, en lui-même, un ennemi de l'art; il pourrait au contraire le seconder. Mais en l'occurrence, il priva le portrait photographique de toute valeur artistique pour un demi-siècle. En vertu des lois de l'économie rationalisée, l'homme lui-même, avec son travail, devait être de plus en plus assujetti à la machine et nous le constatons aussi dans l'histoire de la photographie. Celle-ci entre alors dans une phase nouvelle où elle prendra les traits mêmes de la société.

QUELQUES PORTRAITS

Hyperréalisme en 1843 : David Octavius Hill.
Tableau exécuté de 1843 à 1866 à partir de
portraits photographiques.

Deux artistes photographes : Nadar, portrait de Gustave Doré (1859),

Carjat, portrait de Charles Baudelaire (1859).

Un photographe commercial : Disderi (autoportrait).

L'ACTEUR Gueymard

LE PEINTRE Descamps

LE SAVANT Ortolan

L'ÉCRIVAIN Paul d'Ivoi

La photographie
sous le Second Empire

Vers 1850, l'évolution sociale et économique de la France subit un changement qui se répercuta dans la manifestation de nouveaux besoins des couches ascendantes. La politique de Napoléon III, dans ses débuts, amena en France une période de prospérité; l'Empereur s'était donné pour tâche de mettre l'ordre bourgeois en sécurité. Industrie et commerce devaient prospérer. On accorda de nombreuses concessions aux chemins de fer, l'État donna des subventions, le crédit s'organisa. Partout naissaient des entreprises nouvelles; la richesse et le luxe de la bourgeoisie grandissaient. C'est pendant ces années que se créèrent les grands magasins : *le Bon Marché, le Louvre, la Belle Jardinière*. Le chiffre d'affaires du Bon Marché, en 1852, n'était que de 450 000 francs; il montait, en 1869, à 21 millions [74].

Les effets de cette politique économique se répercutent aussi dans la petite bourgeoisie. En outre, la société moderne avait créé à cette époque un gigantesque appareil de fonctionnaires. Ces couches bourgeoises fournirent une clientèle nouvelle au portrait photographique. Arrivées à la sécurité matérielle, elles aspiraient à s'affirmer par des signes extérieurs. La tâche principale de la photographie était de satisfaire ce besoin de représentation.

En 1855, la grande exposition de l'Industrie comportait une section spéciale de photographie, portant ainsi et pour la première fois celle-ci à la connaissance d'un très vaste public. Cette exposition devenait le signal de son développement industriel. Jusqu'alors, la photographie n'était connue que d'un petit cercle et seulement de l'élite des artistes et des savants. Le compte rendu d'Arago à l'Académie des sciences en 1839 fut écouté

L'*impératrice Eugénie* (Le Gray vers 1860).

par un public venu surtout du monde artistique et scientifique.
La première société photographique fut la *Société héliographique*,
fondée en 1851. L'association se composait surtout d'artistes
et de savants [75]. Maintenant la photographie commençait à
pénétrer dans un large public. Si jusque-là les membres de l'élite
intellectuelle étaient à peu près seuls à confier la reproduction
de leurs traits à l'appareil, on voit ensuite, sur les épreuves,
les physionomies changer.

Dans les expositions, le public se pressait devant les innombrables photographies de gens éminents et de célébrités. Il faut
bien se représenter ce que signifiait pour l'époque le fait d'avoir
tout d'un coup devant les yeux des personnalités qu'on ne pouvait
jusqu'alors admirer que de loin. L'exposition révélait l'existence
de tout un groupe de photographes qui savaient manier avec
goût le nouvel instrument. La plupart avaient apporté de leurs
anciens métiers des aptitudes particulièrement propices, car la
majorité d'entre eux venaient de carrières artistiques. On se pressait devant les photographies du sculpteur Adam Salomon
qui exposait des personnalités de la politique, de la finance et
du monde élégant ; devant celles des peintres Adolphe, de Berne-
Bellecourt et Louis de Lucy, des caricaturistes Nadar, Bertall,
Carjat et de tant d'autres. La préférence allait aux grands formats ; les photographies atteignaient souvent près d'un demi-
mètre de hauteur, et elles étaient travaillées avec un souci extraordinaire du fini. Leur qualité artistique résidait en général
dans leur intégrité de toute retouche [76].

Tandis que la clientèle se déplaçait, les photographes, eux aussi,
venaient d'autres milieux. Le brusque avènement de Napoléon
qui, le 2 décembre 1852, se faisait proclamer empereur des
Français, servit d'exemple à beaucoup. Tel qui, la veille encore,
menait une existence privée de toute sécurité, aujourd'hui se
trouvait soudain élevé à la fortune par les jeux de la Bourse et les
spéculations. Les premiers temps de l'Empire furent un âge
d'or pour tous ceux qui, doués d'instinct commercial, ayant le
flair de la situation et n'ayant rien à perdre, surent tirer profit
de ce revirement de la fortune. L'époque était extraordinairement
propice à toutes les entreprises qui allaient au-devant des désirs
de la classe moyenne.

Lorsqu'une carrière nouvelle s'ouvre et offre des chances

de devenir une source féconde de revenus, on voit ordinairement, dans le flot des concurrents qui s'élancent vers elle, des éléments étrangers par leur origine au nouveau métier et sans relations directes avec lui. Ils sont d'autant plus nombreux que les compétences exigées sont moins grandes. Le métier de photographe attirait surtout, par le peu de connaissances qu'il réclamait, toutes sortes d'individus privés de bases sûres d'existence, issus de la masse indéfinie des ratés, et incapables, faute de culture, d'atteindre des carrières plus élevées. Mais pour devenir une entreprise prospère la photographie devait suivre une autre voie de développement.

Vers 1852-1853 un homme fit son apparition à Paris qui imprima au développement de la photographie un changement décisif d'orientation. Au centre de Paris, boulevard des Italiens, un nouvel atelier photographique ouvre ses portes. Un homme du nom de Disderi s'y établit. Né à Gênes, fils d'un drapier il avait immigré à Paris pour chercher fortune. Au dire de ses contemporains, il avait très peu d'instruction [77]. Mais il était sûrement doué d'une intelligence pratique et du sens des réalités. Avec des capacités pareilles, dans cette époque de prospérité, il aurait pu, avec le même succès, « fabriquer » au lieu de photographies, tout autre article. La photographie lui sembla un excellent moyen de gagner de l'argent. Il fit la connaissance du dessinateur Chandellier qui venait justement d'hériter une grande fortune d'un vieil oncle, curé de village. Disderi obtint ainsi l'argent nécessaire pour l'établissement d'un atelier de vaste envergure.

Il commence alors à imposer une direction nouvelle à l'évolution de la photographie. C'est par hasard, d'ailleurs, que Disderi fut celui qui provoqua ce revirement radical dans le métier photographique. L'amélioration fondamentale qu'il inventa était dans l'air. Il fut le premier à saisir, avec un instinct très juste, les exigences du moment et les moyens de les satisfaire.

Il vit que la photographie, parce qu'elle était trop coûteuse, n'était accessible qu'à la petite classe des riches. Les prix élevés étaient dus d'une part à l'emploi des grands formats, d'autre part au fait que la plaque métallique ne se prêtait pas à la reproduction. Les difficultés particulières du traitement des plaques et l'usage des grands formats demandaient trop de temps et d'efforts. Le photographe était forcé d'élever ses prix en conséquence; comme il travaillait en général sans aide, il lui était impossible de fournir ses produits en grande quantité. Disderi comprit tous ces défauts et que le métier ne donnerait des résultats que si l'on parvenait à élargir la clientèle et à augmenter les commandes de portraits. Mais il fallait pour cela se plier aux conditions économiques des masses. Il eut une idée géniale. Réduisant le format, il créa le portrait *carte de visite* qui correspond à peu près à notre format actuel de 6 à 9 cm. Il remplaça la plaque métallique par le négatif en verre, déjà inventé depuis longtemps et de cette façon il put, pour le cinquième du prix habituel faire un cliché et livrer une douzaine de copies. Disderi demandait vingt francs pour douze photographies alors que, jusque-là, on avait payé de cinquante à cent francs pour une épreuve unique. Par ce changement radical des formats et des prix, Disderi rendit la photographie définitivement populaire. Des portraits jusque-là réservés à la noblesse et à la bourgeoisie riche, devinrent accessibles à ceux qui étaient moins aisés. Pour une somme qui ne dépassait pas ses moyens, le petit-bourgeois économe pouvait satisfaire son besoin de se mesurer aux riches.

Disderi commençait à créer une véritable mode du portrait photographique. Une circonstance singulière et inattendue vint donner la suprême impulsion à cette vogue déjà extraordinaire. Napoléon III partant pour l'Italie à la tête de son armée, le 10 mai 1859, s'arrêta devant l'établissement de Disderi pour s'y faire photographier tandis que l'armée entière, en rangs serrés, l'arme au bras, l'attendait. Du coup l'enthousiasme pour Disderi ne connut plus de limites. Le monde entier apprit son nom et le chemin de sa maison [78].

Les files interminables de clients qui posaient devant son objectif lui apportèrent des millions. L'appareil photographique avait définitivement démocratisé le portrait. Devant la caméra, artistes, savants, hommes d'État, fonctionnaires, employés modestes sont tous égaux. Le désir d'égalité et le désir de représentation des différentes couches de la bourgeoisie étaient satisfaits en même temps.

En 1854 Disderi, bon commerçant, fit breveter son invention de la carte de visite [79]. Son établissement devint le plus grand en son genre, non seulement de Paris mais d'Europe. Il employait toute une armée de collaborateurs. Outre ses deux ateliers, dont l'un occupait deux étages, il installa encore, profitant des circonstances, une imprimerie photographique. De cette façon, il pouvait livrer dans les quarante-huit heures des milliers de copies pour des prix relativement minimes. En prenant pour règle de fabriquer de la marchandise en série pour des prix modiques, il inaugurait un commerce avec des collections de contemporains célèbres. L'intérêt lui inspira toutes sortes de trouvailles. Entre autres, il proposa d'organiser un service photographique dans l'armée. Le 19 février 1861, il reçut du ministère de la Guerre l'autorisation de mettre son projet à exécution. Dès lors, chaque régiment aura son photographe [80].

Cependant dans cette phase de l'organisation capitaliste, ce qui favorise l'intérêt particulier, concourt aussi à l'avantage de la généralité. L'art se trouve, autant qu'il est possible, popularisé par la photographie. Nous parlerons de ce problème plus tard. Le théâtre, grâce à la publication des portraits d'artistes, devient encore plus populaire. Dès l'année 1855, Disderi entrevoit de quelle énorme utilité sera la photographie pour l'économie et pour toute la vie publique. Il pressent le grand rôle que quelques années plus tard, elle jouera dans l'industrie des étoffes imprimées, de la porcelaine, des toiles peintes, et l'importance qu'elle acquerra pour les architectes, médecins, ingénieurs, constructeurs, etc. [81].

Il serait difficile de calculer le nombre de millions qui passèrent entre ses mains durant ces années de triomphe. Disderi appartenait à ce type de parvenu qui, à mesure que les richesses affluaient, les dissipait à pleines mains. Le luxe de son appartement, le nombre de ses maisons de campagne et son écurie coûteuse alimentaient les potins de Paris.

Sa chute fut aussi rapide que son ascension. Disderi ruinait les artistes photographes qui ne voulaient pas s'adapter en diminuant les prix. Mais il fut la victime de sa propre invention.

Dans toutes les villes de France, et surtout à Paris, les ateliers photographiques se multipliaient rapidement. On quittait les métiers les plus divers pour adopter celui de photographe qui promettait un succès sans précédent. La nouvelle profession devenait un débouché pour des individus de toutes sortes. Celui-ci, Fortier, est un ancien teinturier; cet autre, Tripier, est le fils

d'un homme de loi, tel enfin est clerc d'étude, probablement mis
à la porte [82]. Il suffisait d'avoir l'argent nécessaire pour l'aménagement de l'atelier, l'achat de l'appareil et de l'outillage; par
ces temps de prospérité de la photographie, la somme n'était
pas difficile à trouver.

La concurrence, en outre, poussait à des raffinements techniques de plus en plus grands; il fallait attirer le public par tous
les moyens. Disderi jouit de sa gloire. Comme tant d'autres qui
arrivèrent brusquement à la fortune, il joue à l'homme riche,
s'occupant davantage de spéculations de terrains que de ses
affaires. Sa renommée baisse graduellement en même temps que
grandit le mécontentement de ses clients. Ceux-ci, peu à peu,
l'abandonnent pour d'autres photographes plus consciencieux
qui, malgré le brevet pris par Disderi, commencent aussi à faire
des portraits dits carte de visite. La fortune fond entre ses mains
et il se voit tout à coup aussi pauvre qu'au commencement de
sa carrière. Il est forcé de quitter ses ateliers et de vendre ses
biens. Il quitte Paris et part pour la Riviera. A Biarritz, à Monaco,
il essaie, avec son nom jadis connu, d'attirer une nouvelle clientèle et mène la vie d'un pauvre petit photographe de plages. Il
échoue enfin à Nice et là, cet homme qui avait gagné tant de
millions vit misérablement, secouru par quelques amis. Sa gloire
s'est dissipée, sa carrière est brisée. Dans ses années mouvementées
de célébrité, il a ruiné sa santé. Il meurt sourd et presque aveugle
dans un asile public à Nice.

La nécessité économique d'une diffusion aussi grande que
possible déterminait le caractère et l'importance sociale de la
photographie. Celle-ci était devenue une grande industrie sur la
base d'une vaste clientèle. Mais il ne suffisait pas que la photographie fût adaptée aux exigences économiques de la classe bourgeoise ascendante, elle devait l'être aussi à son goût.

Le goût artistique du public s'était cristallisé dans les expositions annuelles fondées par Louis-Philippe. Le jury se composait
des directeurs de musée, des membres de l'Académie et d'amateurs dont le choix était dirigé dans le sens du gouvernement. Il
refusait tout ce qui menaçait de rompre les cadres du catéchisme
artistique du moment : ainsi écartait-il les œuvres des Romantiques, Eugène Delacroix en tête, et celles des paysagistes de toutes
tendances. Le goût de Louis-Philippe embrassait tout ce qui

pouvait nourrir le sentiment national, le patriotisme et la véné-
ration de la maison régnante. C'est lui qui avait fait adopter le
palais de Versailles comme galerie des fastes historiques de la
nation française. En matière d'art, ses goûts et sa conduite
étaient dirigés par la même politique du *juste milieu*, tempérée,
éloignée de tous extrêmes, qui le guidait dans les affaires de l'État.
Il était ennemi de toute innovation [83].

Dans la peinture historique, les plus brillants représentants
étaient Paul Delaroche en tête, le peintre de batailles Horace
Vernet, Léon Cogniet, Robert Fleury. Leurs œuvres remplissaient les expositions. Ils étaient les points de mire du public
et l'objet principal de la critique. Leurs tableaux se distinguent
par le manque de tout caractère individuel. Quand on contemple
une de leurs toiles, quel qu'en soit l'objet, on est frappé avant tout
par son intelligibilité immédiate. L'œuvre se donne entièrement,
et dans les moindres détails, au spectateur. Dans les compositions
de Léon Cogniet, de Delaroche ou de Vernet, le dessin se plie
à des mesures fixées d'avance. La couleur est traitée dans la même
intention. Que le coup de brosse soit lourd ou léger, l'intention
dominante du peintre est d'être véridique. Ces principes excluent
tous les demi-tons. Quand le peintre du *juste milieu* veut être
sérieux il remplit le tableau d'accessoires divers. S'il veut être
gai ou *brillant*, il multiplie les couleurs. Mais trop d'exactitude
et de véracité auraient pu éloigner le public, car tous les personnages de l'histoire ne sont pas naturellement beaux. Pour cette
raison, on adoucit les gestes trop grossiers, on enjolive les visages
disgracieux. Le souci du peintre est de donner au tableau une
sorte de vraisemblance moyenne. Cette façon de peindre, dans son
principe, revient à adopter pour type humain favori celui qui
domine parmi la clientèle. A l'instar du *Français moyen* qui, par sa
mise, ses manières et ses règles de bon ton, cherche à se modeler
sur la couche dominante, le peintre cherche, lui aussi, à éviter
dans ses toiles tout ce qui pourrait heurter les règles de bien-
séance de cette classe.

Ce principe domine aussi chez les peintres de portraits. Leur
conception esthétique n'est ni réaliste, ni idéaliste; ils n'acceptent
pas la laideur; ils ne cherchent pas non plus l'expression d'un
type de beauté idéale. C'est juste à mi-chemin de ces deux conceptions que se tient le peintre reconnu de l'époque. Le problème,

pour lui, est de rendre *agréable*, par quelques artifices, la personne
même la plus laide.

Le peintre doit donc être un bon costumier et un metteur
en scène habile. Une technique gouvernée par un désir modéré
d'exactitude, visant à l'effet agréable, et assez souple pour s'a-
dapter au goût de la clientèle, est une garantie de succès. Un
portrait soigneusement achevé selon ces principes doit plaire à
un client de la classe moyenne. Le public est charmé par ce qui
lui semble fini avec soin, par la netteté du coup de pinceau, par
le *trompe-l'œil*. En général, il s'intéresse surtout au sujet.

La nécessité de plaire devait forcément faire baisser la qualité
de l'expression chez les peintres dont l'art formait la base matérielle de l'existence et qui devaient flatter le goût bourgeois. « Ce
qui lui plaît vraiment, c'est ce qui est joli, banal, poli. La miniature à contours précis, la peinture plate et léchée à tons roses et
verts, la sculpture lisse, l'imitation fidèle des menus détails... [84] ».

La grande masse du public qui s'extasie devant la peinture
moderne et exacte du *juste milieu* est sans éducation. Le développement économique a ouvert, en effet, aux classes inférieures
des possibilités d'instruction. Mais l'émancipation intellectuelle
ne marche pas aussi vite que l'émancipation économique et le
Français moyen qui veut, lui aussi, posséder des œuvres d'art,
doit se guider, s'il s'agit d'un portrait, buste, médaillon, tableau
d'église, tombeau, d'après la mode dirigeante. Il accepte passive-
ment les peintres officiellement reconnus et consacrés. L'existence
même des peintres dépend donc de leur soumission à l'Académie.
Ainsi la masse sera influencée dans ses goûts par une institution
d'État qui, elle-même, est l'expression de ses tendances.

C'est justement ce public qui forme la plus grande partie de
la clientèle du photographe. Celui-ci dont l'ascension s'est faite
à peu près de la même façon que celle de sa clientèle, manque
également d'éducation. Ainsi il ne peut rien faire que ce que ses
devanciers ont fait. Il singe les genres acceptés. Il ne peut que trans-
porter dans l'art photographique les habitudes esthétiques qui
règnent dans la masse.

La valeur du photographe Disderi comme homme d'affaires
résidait dans le fait qu'il adaptait sa production, non seulement
à la situation économique de la clientèle, mais aussi à ses conditions intellectuelles. Si l'on regarde les innombrables photo-

graphies *fabriquées* par Disderi au cours de son activité, ce qui frappe le plus dans ces images, c'est le manque absolu de l'expression individuelle qui était au contraire si caractéristique des œuvres de l'artiste photographe Nadar. Devant les yeux du spectateur passent, en file interminable, les représentants de tous les niveaux et de toutes les professions de la bourgeoisie et, derrière ces images stéréotypées, les personnalités ont presque entièrement disparu. Le type d'une couche sociale recouvre l'homme individuel. Alors que les artistes photographes faisaient généralement de la tête le centre de l'image, maintenant on fait valoir la stature entière. Les accessoires dont on agrémente le portrait distraient le spectateur de la personne représentée.

De gros in-folios soigneusement empilés sur un guéridon, dont la grâce contournée évoque n'importe quoi, sauf une table de travail, des cahiers ouverts ou fermés dans un savant désordre, tel est le décor qui témoigne d'un écrivain ou d'un savant. L'homme lui-même est astreint à une pose : le bras gauche appuyé sur la table (cette attitude est un reliquat des poses interminables), les yeux noyés dans la méditation, une plume d'oie dans la main droite, il est devenu lui-même un accessoire de l'atelier. Le geste pathétique d'un monsieur gras et costumé qui se tord les bras avec, à ses pieds, un poignard, suffit pour faire reconnaître un premier ténor de l'Opéra. Le nom, même célèbre, n'intéresse plus. C'est le type du *chanteur d'opéra* que l'on voit, comme le voient Disderi et, à sa suite, le public. Pour le *peintre* il suffit d'un chevalet et d'une brosse. Un lourd rideau drapé forme un fond pittoresque. L'*homme d'État* tient dans la main gauche un rouleau de parchemin. Son bras droit s'appuie sur une balustrade dont les courbes massives figurent ses pensées lourdes de responsabilités. L'atelier du photographe devient ainsi le magasin d'accessoires d'un théâtre où, pour tous les rôles sociaux, des masques de caractères sont préparés.

Les accessoires caractéristiques d'un atelier photographique de 1865 sont la *colonne*, le *rideau* et le *guéridon*. Là se tient appuyé, assis ou debout, le sujet à photographier *en pied*, en *demi-grandeur* ou en *buste*. Le fond est élargi, conformément au rang social du modèle, par des accessoires symboliques et pittoresques. Mais avant tout cela, l'aménagement de l'atelier n'est pas encore complet. En 1840 encore, les premiers patients de la photographie devaient s'asseoir juste sous la verrière, exposés à un soleil brûlant et baignés de sueur, ils devaient supporter pendant plusieurs minutes les souffrances de l'immobilité. Mais depuis on avait inventé un appareil nommé *appui-tête*, qui s'adaptait au crâne, une sorte de fauteuil d'opération, invisible pour l'objectif, qui fixait par-derrière les corps des patients. On évitait ainsi pendant la longue durée de la pose, les mouvements qui auraient brouillé l'image. Sur l'ordre magique du photographe : « Souriez, s'il vous plaît », le visage déjà contracté, se décorait d'un sourire figé. Avec ce sourire disparaissait, dans presque toutes les photographies, le dernier contenu individuel. Ces images devenaient des parodies de visages humains.

Les mains jouaient un rôle tout particulier. Les uns se font représenter la main droite sur la poitrine; les autres la tenaient négligemment repliée sur la ceinture ou tombant le long de la cuisse. Ce monsieur joue avec les breloques de sa montre, cet autre a la main droite plongée dans son gilet d'une façon méditative, imitée des grands orateurs parlementaires. Dans les poses, même les plus simples et les plus naturelles, en apparence, on sent percer un gonflement intérieur, une importance naïve et comique; il n'est pas jusqu'à la manière dont ces braves bourgeois portent leurs lunettes, qui n'ait son emphase et sa dignité [85].

De nouvelles techniques, d'une façon générale, se développent selon les nécessités sociales du temps. Le bourgeois qui tient beaucoup à avoir une apparence *agréable*, fait naître une technique capable d'éliminer de son image tous les détails déplaisants que la pose seule n'arrivait pas à dissimuler, comme les taches de rousseur, un nez disgracieux, des rides, etc. C'est la *retouche*. Après 1860, on vit paraître les premiers anastigmats qui se distinguaient par une netteté inconnue jusqu'alors et qui favorisaient ainsi le développement de la retouche. Alors que le peintre au cours de son travail pouvait, s'il le jugeait bon, faire disparaître tous les accidents du visage, l'appareil photographique au contraire rendait avec minutie et exactitude tous les détails. Grâce à la retouche, on avait la faculté de faire disparaître ce qui pouvait déplaire à la clientèle.

La retouche du négatif fut inventée par le photographe munichois Hampfstängl. A l'exposition de 1855 en France, on montrait pour la première fois des épreuves retouchées. Franz Hampfstangl exposait le même portrait sans retouche et retouché, ce qui fit sensation. La retouche fut un fait décisif dans le développement ultérieur de la photographie. C'est le commencement de sa déchéance, car son emploi inconsidéré et abusif éliminant toutes les qualités caractéristiques d'une reproduction fidèle, elle dépouilla la photographie de sa valeur essentielle.

L'anecdote suivante jette une lumière sur la façon dont la retouche était appliquée par de nombreux photographes : « Si quelqu'un rapporte sa photographie et fait remarquer au photographe qu'il a soixante et non trente ans, qu'il a des rides au front et des plis au menton, les joues creuses et un nez épaté qui n'a rien du nez grec qu'on lui a fabriqué, il est sûr de recevoir la réponse suivante : « Ah ! vous vouliez un portrait ressemblant! Il fallait le dire. Nous ne pouvions pas le deviner! [86] »

Le photographe qui jugeait de l'esthétique de son art par comparaison avec celle de la peinture, croyait être pittoresque quand, à coups de retouches, il faisait des figures lisses et sans ombres [87]. De cette façon on allait à la rencontre du goût du moment, du goût du grand public qui préférait les tableaux lisses et aux contours bien arrondis du peintre Delaroche, aux harmonies tumultueuses de couleurs d'un Delacroix.

Les principaux collaborateurs du photographe sont à présent les retoucheurs et les peintres spécialisés. Ces derniers ont pour tâche de mettre en couleur les photographies, car les photographies coloriées sont devenues la grande mode. Pendant que l'opérateur faisait poser son modèle, il prenait des notes sommaires comme celles d'un passeport : teint ordinaire, yeux bleus ou bruns, cheveux châtains ou noirs. Quelques jours après, la photographie coloriée, encadrée et collée sur carton, était remise au client. C'est ainsi que la photographie devenait en réalité un succédané de la miniature et du portrait à l'huile. Disderi qui, le premier, adapta la photographie à la mentalité de cette nouvelle clientèle, fut aussi le premier théoricien de ce genre de photographie. En 1862, il publiait une *Esthétique de la photographie*. Le photographe pourra exprimer en effet, écrivait Disderi, comme le peintre, le spectacle naturel avec ses formes, ses accidents de perspective, de lumière et d'ombre. Il définissait les qualités d'une bonne photographie à l'aide du programme suivant :

1° Physionomie agréable (!)

2º Netteté générale.

3º Les ombres, les demi-teintes et les clairs bien prononcés, ces derniers brillants.

4º Proportions naturelles.

5º Détails dans les noirs.

6º Beauté! [88].

A elle seule cette énumération démontre à quel point Disderi adoptait les idées esthétiques ayant cours chez les peintres du *juste milieu*, et comment il transposait leurs conceptions esthétiques dans la photographie.

La vérité dans la représentation des événements extérieurs, des accessoires et des meubles devenait la condition fondamentale d'un portrait photographique. Ce principe n'était autre que celui de la peinture historique d'alors. Delaroche qui, durant une vingtaine d'années, fut le peintre le plus fêté de son époque, préparait chaque composition avec un extrême souci d'exactitude. Sa première esquisse était suivie d'un dessin détaillé, colorié à l'aquarelle. A l'aide de poupées en plâtre ou en cire, il étudiait le groupement des personnages, la distribution de la lumière et des ombres. Des acteurs connus figuraient les personnages principaux et chaque détail du costume, de la disposition des lieux, était fixé avec une volonté d'exactitude historique.

Ces mêmes principes guidaient le photographe. Ainsi Disderi pose la condition que « l'attitude soit en harmonie avec l'âge, la stature, les habitudes, les mœurs de l'individu... [89] ». Le peintre s'efforçait de faire de sa peinture une description de l'histoire. Le photographe croyait devoir suivre le peintre dans cette voie. A l'exposition du Palais de l'industrie en 1855, on pouvait admirer quelques-unes de ces *photographies de genre* exécutées en Angleterre. Aussi Disderi proposait-il : « Dans un immense atelier parfaitement agencé, le photographe, maître de tous les effets de lumière, par des stores et des réflecteurs, muni de fonds de toutes sortes, de décors, d'accessoires, de costumes, ne pourrait-il pas, avec des modèles intelligents et bien dressés, composer des tableaux de genre, des scènes historiques? Ne pourrait-il chercher le sentiment comme Scheffer, le style comme M. Ingres? Ne pourrait-il pas traiter l'histoire comme Paul Delaroche dans son tableau de la *Mort du Duc de Guise*? » [90]

Cette application de la photographie ne fut guère couronnée

de succès. Les tentatives n'en démontrent pas moins combien, à cette époque, on négligeait le caractère de la photographie. Mais l'exigence primordiale du client vis-à-vis du photographe c'est d'être flatté. Voilà pourquoi Disderi propose : « Il faut trouver la plus grande beauté dont le modèle soit susceptible... Qu'il s'agisse d'art et que l'art cherche la beauté. » C'est la satisfaction de cette exigence qui fait du photographe un homme populaire et garnit les albums familiaux. Désormais, sur les cheminées, sur les guéridons, sur les consoles, sur les murs des appartements, sourit débonnairement le bourgeois et, à ses côtés, ses hommes d'État préférés, ses savants, ses actrices, etc... Ce n'est plus seulement le document qui fait le prix de la photographie : elle est devenue le symbole de la démocratie. Celui-là est vraiment un bon photographe qui, avec son appareil, comme le peintre avec son pinceau, sait montrer la grandeur du bourgeois en habit noir.

Monsieur Thiers (Disderi vers 1860).

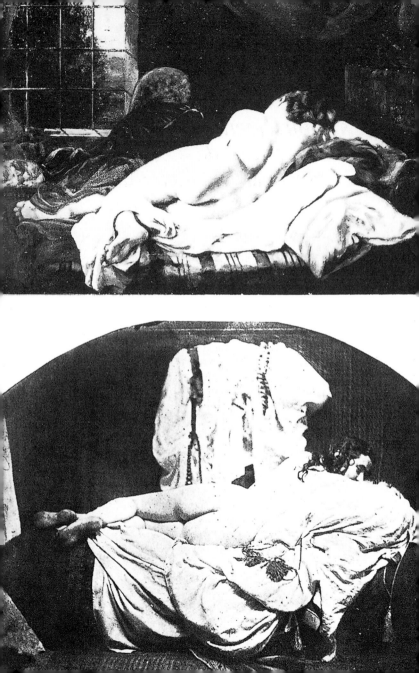

Les mouvements et l'attitude des artistes de l'époque à l'égard de la photographie

La photographie, issue de la coopération de la science et de nouveaux besoins d'expressions artistiques, devint à sa naissance l'objet de violents litiges. Savoir si l'appareil photographique n'était qu'un instrument technique, capable de reproduire de façon purement mécanique les apparences, ou s'il fallait le considérer comme un véritable moyen d'exprimer une sensation artistique individuelle, échauffait les esprits des artistes, critiques et photographes. Cette querelle, engendrant articles et polémiques personnelles, se vida tant dans les ateliers que devant les tribunaux. L'Église prit également position; très hostile à l'origine, elle inspirait à un journal allemand de 1839 le passage suivant : « Vouloir fixer de fugitifs reflets, est non seulement une impossibilité, comme l'ont démontré de très sérieuses expériences faites en Allemagne, mais le vouloir confine au sacrilège. Dieu a créé l'homme à son image et aucune machine humaine ne peut fixer l'image de Dieu; il lui faudrait trahir tout à coup ses propres principes éternels pour permettre qu'un Français, à Paris, lançât dans le monde une invention aussi diabolique [91]. »

La transformation sociale et économique qui s'opéra au sein de la bourgeoisie du XIXᵉ siècle, eut pour conséquence un déplacement des états de conscience. Le développement de l'industrie, parallèle au développement de la technique, le progrès des sciences croissant en même temps que le besoin d'industrialisation, exigeaient des formes rationnelles économiques. Il en résulta une transformation de la représentation qu'on se faisait de la nature et de leurs rapports réciproques. Une conscience nouvelle de la réalité, une appréciation inconnue des valeurs de la nature se

Courbet : « le Repos ». Le nu dans la peinture et dans la photographie au milieu du XIXᵉ siècle.

révélaient; elles eurent pour conséquence dans l'art une poussée vers l'objectivité, poussée qui correspond à l'essence de la photographie.

Cette époque trouva sa meilleure expression dans la philosophie positive. On exige une exactitude scientifique, une reproduction fidèle de la réalité dans l'œuvre d'art. L'expression de Taine : « Je veux reproduire les choses comme elles sont ou comme elles seraient, même si moi je n'existais pas », devient le leitmotiv d'une nouvelle esthétique.

Cette attitude spirituelle nouvelle attira vivement l'attention sur la photographie. Ne pouvait-on pas, à l'aide de cette technique nouvelle, réaliser d'une façon immédiate l'objectivité de la nature qu'exigeait l'artiste? La photographie n'était-elle donc pas une forme nouvelle de l'art? Les partisans zélés de cette théorie, qui mettait sur le même plan l'appareil photographique et la palette, déclaraient que, même en admettant que ce fût l'appareil qui effectuait la photographie, le goût artistique de l'opérateur n'en intervenait pas moins dans l'originalité, dans la composition et dans l'éclairage du sujet.

L'opinion adverse prétendait que la photographie était tout juste capable de fournir un travail mécanique n'ayant aucun point commun avec l'art.

La photographie n'aurait certainement pas, au cours du XIXe siècle, attiré une si vive attention de la part des milieux artistiques si l'influence des transformations sociales n'avait pas révélé des tendances nouvelles dans l'art. Le mouvement social, issu de la révolution de 1848, eut également une influence sur la production artistique.

Avec le début de la conscience de classe des travailleurs et l'ascension des couches petites-bourgeoises, se formait une génération d'artistes qui fut à l'origine d'une critique sociale consciente. En s'affirmant, la vie bourgeoise devenait un objet de critique. Dès 1835, Henry Monnier s'essayait, dans les *Scènes populaires*, à la description d'une exactitude en quelque sorte photographique et sténographique de la vie bourgeoise. A la même époque, dans *Madame Bovary*, qui déclencha un scandale social, Flaubert, avec une franchise impitoyable, étalait l'existence menteuse que menait la petite bourgeoisie provinciale.

Vers 1855, on discutait déjà publiquement d'une tendance

artistique nouvelle, dont le nom était le réalisme. Alors que la photographie célébrait son avènement dans le cadre de l'exposition mondiale de 1855 et que le public admirait ces copies si exactes de la nature, ce même public boycottait la peinture des premiers réalistes, en dépit d'un ordre de tendances identiques qui semblait s'y manifester.

Au Salon, il n'y avait pas de place pour un Courbet dont les tableaux portaient comme signature : « Courbet sans religion et sans idéal ». A ses frais il organisa une exposition avenue Montaigne dont l'entrée était surmontée du mot : « Réalisme ».

Le manifeste des tendances réalistes fut la revue *le Réalisme*, dont le premier numéro parut en 1856 [92].

La théorie de ces premiers réalistes est inséparable de l'esthétique positiviste. Leurs exigences pouvaient découler de l'apparition de l'appareil photographique. « On ne peut peindre que ce qu'on voit », déclarent-ils. L'imagination est réprouvée comme non objective, comme un penchant subjectif à la falsification. D'après eux, l'attitude envers la nature doit être tout à fait impersonnelle, impersonnelle au point que l'artiste doit être capable de peindre dix fois de suite le même tableau, sans hésiter et sans que les copies ultérieures diffèrent en quoi que ce soit de la copie précédente. Sans limites est l'admiration que l'artiste professe envers la nature. Courbet pour eux est le maître qui peint les objets avec des formes et des couleurs telles que les montre la réalité [93]. L'œuvre d'art doit présenter un contenu objectif, immédiatement emprunté à la nature environnante.

Partout le mot d'ordre : former le jeune artiste au contact immédiat de la nature, l'éloigner des sombres musées, des œuvres d'art sans vie. En même temps que la photographie naît la peinture en plein air. Les peintres naturalistes se refusent le titre d'artistes. Ils sont peintres et rien de plus. Ils se considèrent comme des artisans adroits. Dans leurs concepts esthétiques, la réalité optique s'identifie à la réalité de la nature. Le point de départ est le même en photographie car, pour le photographe, justement, la réalité de la nature est exactement la réalité optique de l'image. Le monde visible est *son seul domaine*. Son cliché ne peut lui donner que ce qu'il voit; l'imagination est pour lui complètement bannie; sa tâche consiste bien à déterminer le motif, à le mettre en valeur dans le meilleur cadre, à doser les

rapports d'ombre et de lumière, et son travail finit là. Travail
fini avant même que l'appareil ait fonctionné.

Les réalistes exigeaient du peintre qu'il s'effaçât modestement derrière son chevalet. Cette exigence se trouve réalisée
chez le photographe. Une fois l'image achevée elle est détachée
de son réalisateur. Le photographe est lié à une réalité bien
définie qu'il peut corriger mais non transformer. Par la technique
de la photographie justement fut révélé un monde qui, jusqu'alors,
était passé inaperçu. L'appareil approchait les réalités quotidien-
nes du monde visible qui prenaient tout à coup de l'importance.

Le dogme des réalistes était sans doute exagéré, mais l'hostilité avec laquelle la critique et le public accueillirent leurs
œuvres contribuait à cette exagération. Au début, on les prit
violemment à partie, mais par la suite tout le monde reconnut
et accepta la nouvelle tendance dont ils furent les pionniers.

Les réalistes, en dépit de leur programme, se refusaient à
considérer la photographie comme un art. Champfleury, dans
un article qui parut dans la *Revue de Paris*, déclare : « Ce que
je vois entre dans ma tête, descend dans ma plume et devient
ce que j'ai vu... L'homme n'étant pas machine, ne peut prendre
les objets machinalement. Le romancier choisit, groupe, dis-
tribue, le daguerréotype se donne-t-il tant de peine? »

C'est en relation avec le mouvement réaliste ou naturaliste
que la valeur et l'influence de la photographie sur l'art furent
violemment discutées. Ceux qui, vers 1850, représentaient la
critique d'art officielle, attaquèrent fortement les naturalistes.
« Le goût du naturalisme est pernicieux pour l'art élevé », déclare
le critique Delécluze dans son article sur l'exposition de 1850.
La mode du portrait qui jouissait de plus en plus de la faveur
du public, fut prétexte à ce jugement. « Ce mode de l'art est
aujourd'hui celui dont la culture est la plus régulière et la plus
avancée. » Mais à qui donc, pour Delécluze, cet art est-il redevable
de la régularité de ses progrès? « Il faut le dire, à la pression toujours plus forte·qu'exercent depuis dix ans environ, sur l'imitation dans les arts, deux puissances scientifiques qui agissent
fatalement, je veux dire la daguerréotypie et la photographie
avec lesquelles les artistes sont déjà obligés de compter [94]. »

Malgré cet aveu important, Delécluze était obligé, de par sa
position, de combattre le naturalisme. Il appartenait à une

honorable et conservatrice famille bourgeoise; son père était architecte, il avait lui-même étudié la peinture chez David. Ses conceptions s'apparentaient à celles de l'Académie, chère aux milieux bourgeois conservateurs et respectueux des traditions.

Delécluze, dans ses comptes rendus du Salon dans *le Journal des Débats*, glissait du *beau idéal* au *juste milieu*. Il repoussait l'école naturaliste moderne et il assimilait toutes les fois que possible, la photographie à la décadence qu'il constatait dans l'art. A cette attitude du septuagénaire Delécluze qui, du fait de son âge et de la nature même de ses études, ne pouvait sympathiser avec la théorie radicale des naturalistes, un homme de trente-trois ans, le critique Francis Wey, opposa la sienne. La différence des positions prises était l'expression même des générations différentes.

Dans une réplique parue sous le titre *Du Naturalisme dans l'art*, Francis Wey, essayait, prenant le parti des photographes, de montrer la différence entre les véritables réalistes et les simples profiteurs de la mode que Delécluze, persuadé de l'influence pernicieuse de la photographie, confondait avec les réalistes. Dans la place concédée à la nature, Francis Wey voyait avant tout un rajeunissement de la peinture qui s'était arrêtée à un point fixe. « Ce retour violent à la nature remet dans l'art des principes de vie... D'ailleurs l'abus de la nature est bien moins dangereux que l'excès du contraire. » Il disait ironiquement : « Quel est aux yeux des peintres et des critiques de l'Académie, le premier, le vrai, le grand coupable? Quel est ce révolutionnaire, ce niveleur impitoyable de l'art moderne? C'est la photographie. » Bien comprise, elle peut aider l'artiste à s'élever au-dessus d'une copie purement mécanique des objets; elle peut servir à effacer les fautes vulgaires de l'art moderne. « Ce qui fait l'artiste, ce n'est ni le dessin seul, ni la couleur, ni la fidélité d'une copie : c'est la divine inspiration dont l'origine est immatérielle. Ce n'est point la main, c'est le cerveau qui constitue le peintre; l'instrument ne fait qu'obéir. En réduisant à néant ce qui lui est inférieur, la photographie prédestine l'art à de nouveaux progrès, en rappelant l'artiste à la nature, elle le rapproche d'une source d'inspiration dont la fécondité est infinie [95]. »

Dans les attitudes qui s'affrontaient entre Delécluze et Wey, il ne faudrait pas voir seulement des divergences personnelles;

c'était aussi le signe que l'esthétique générale s'enrichissait de conceptions nouvelles, inséparables des grands courants intellectuels de l'époque. Taine, dans la *Philosophie de l'art* et dans l'essai sur *La Fontaine et ses fables*, avait donné à l'esthétique une direction tout à fait nouvelle. « Pour comprendre une œuvre d'art, un artiste, un groupe d'artistes, il faut se représenter avec exactitude l'état général de l'esprit et des mœurs auquel ils appartenaient [96]. Les productions de l'esprit humain comme celles de la nature vivante, ne s'expliquent que par leur milieu [97]. »

Cependant même pour l'esthétique positiviste, l'art ne consistait pas uniquement en imitation absolue de la nature. La position prise envers la photographie en fit la preuve. « Cela est-il vrai de tous points, et faut-il conclure que l'imitation absolument exacte est le but de l'art?... – D'autre part et dans un autre domaine, la photographie est l'art qui, sur un fond plat, avec des lignes et des teintes, reproduit le plus complètement, et sans erreur possible, le contour et le modèle de l'objet qu'elle doit imiter. Sans doute la photographie est pour la peinture un auxiliaire utile; elle est quelquefois maniée avec goût par des hommes cultivés et intelligents; mais après tout, elle ne songe pas à se comparer à la peinture... Nous avons au Louvre un tableau de Denner. Il travaillait à la loupe et mettait quatre ans à faire un portrait; rien n'est oublié dans ses figures, ni les rayures de la peau ni les marbrures imperceptibles des pommettes, ni les points noirs éparpillés sur le nez, ni l'affleurement bleuâtre des veines microscopiques qui serpentent sous l'épiderme, ni les luisants de l'œil où se peignent les objets voisins. On demeure stupéfait : la tête fait illusion, elle a l'air de sortir du cadre; on n'a jamais vu une pareille réussite ni une pareille patience. Mais, en somme, une large esquisse de Van Dyck est cent fois plus puissante, et, ni dans la peinture ni dans les autres arts on ne donne le prix au trompe-l'œil [98]. »

La grande vogue du portrait photographique exploité pour la plupart par des gens qui ne cherchaient qu'à s'enrichir le plus vite possible, renforçait grandement la mauvaise réputation de la photographie dans le monde artistique. Il n'était pas toujours très facile de démêler le petit groupe de photographes consciencieux des autres. Le jugement des artistes de l'époque était, pour ces raisons, souvent contradictoire. Ainsi le poète

Lamartine qui, en 1858, condamnait la photographie, « cette invention du hasard qui ne sera jamais un art, mais un plagiat de la nature par l'optique », changeait d'opinion après avoir vu les belles épreuves d'Adam Salomon qui avait été sculpteur. Instruit par les expériences que lui avait données la sculpture, il arrivait à des effets de lumière, une plastique et un certain flou qui prêtaient à ses photographies une attirance particulière. Jusqu'alors, on plaçait presque toujours le sujet en pleine lumière, ce qui produisait des contrastes d'une extrême dureté. Adam Salomon montrait dans ses portraits l'importance capitale d'une juste application de la lumière. L'effet artistique obtenu avait amené Lamartine à une véritable conversion :

« La photographie, contre laquelle j'ai lancé un anathème, inspiré par le charlatanisme qui la déshonore en multipliant les copies, la photographie, c'est le photographe. Depuis que nous avons admiré les merveilleux portraits saisis à un éclat de soleil par Adam Salomon, nous ne disons plus que c'est un métier : c'est un art; c'est mieux qu'un art, c'est le phénomène solaire où l'artiste collabore avec le soleil [99]. »

Les arguments qu'invoquaient les artistes du XIXe siècle dans leur polémique étaient fortement motivés par la divergence des tendances artistiques à l'intérieur même de l'élite intellectuelle. Ainsi le classiciste Ingres condamnait le naturalisme moderne, parce que seul comptait l' « art divin des Romains ». Pour Ingres, l'académicien, la photographie était haïssable, au même titre que ces artistes modernes, profanateurs du « temple sacré de l'art ». La photographie était à ses yeux une manifestation de ce progrès : « Maintenant on veut mêler l'industrie à l'art. L'industrie! nous n'en voulons pas! Qu'elle reste à sa place et ne vienne pas s'établir sur les marches de notre école d'Apollon, consacrée aux arts seuls de la Grèce et de Rome [100]. »

Rien d'étonnant à trouver la signature d'Ingres, sous une protestation d'artistes qui s'élevaient contre la photographie et maintenaient qu'elle n'avait rien de commun avec l'art.

L'aire de pénétration de la photographie, limitée d'abord à l'élite intellectuelle, s'étendit vers 1860 aux larges masses de la bourgeoisie et de la petite bourgeoisie. Les premiers partisans de la photographie devinrent ses adversaires les plus acharnés. Le goût du public qui composait maintenant la majeure partie de la clientèle de la photographie, l'avait amené à un niveau plus bas.

Pour Baudelaire la photographie devenait prétexte à un défi mordant à l'adresse de « cette classe des esprits non instruits et obtus qui jugent les choses seulement d'après leurs contours ». La photographie lui apparaissait comme un procédé propre à flatter la vanité d'un public qui ne comprend rien à l'art et qui donne l'avantage au trompe-l'œil. « La société immonde se rua, comme un seul Narcisse, pour contempler sa triviale image sur le métal... L'amour de l'obscénité qui est aussi vivace dans le cœur naturel de l'homme que l'amour de soi-même, ne laissa pas échapper une si belle occasion de se satisfaire [101]. » La photographie procurait à Baudelaire un moyen de critiquer la décadence du goût en même temps que les masses « qui se plantent devant un Titien ou un Raphaël, un de ceux que la gravure a le plus popularisés ; puis sortent satisfaits, plus d'un se disant : Je connais mon musée [102]. »

Baudelaire était un « outsider », un bourgeois en marge de la bourgeoisie. Toute sa vie, il a fui cette bourgeoisie qui le poursuivait prenant la forme du prêteur sur gages. Il haïssait cette société bourgeoise qui était incapable de le comprendre, aussi incapable qu'il était de s'en accommoder. Se considérant comme un aristocrate, il était opposé aux tendances démocratiques de l'époque qui voulaient mettre l'art à la portée de tous. La photographie lui semblait favoriser cette évolution. « Quelque écrivain démocrate a dû voir là le moyen à bon marché de répandre dans le peuple le dégoût de l'histoire et de la peinture, commettant ainsi un double sacrilège et insultant à la fois la divine peinture, et l'art sublime du comédien. » L'industrie – et pour lui la photographie était une industrie – n'avait rien de commun avec l'art. La photographie ne représentait aux yeux de Baudelaire qu'une « invention due à la médiocrité des artistes modernes et le refuge de tous les peintres manqués ». Le mouvement naturaliste était pour lui le signe d'une décadence de la peinture. « Dans ces jours déplorables, une industrie nouvelle se produisit, qui ne contribua pas peu à confirmer la sottise dans sa foi et à ruiner ce qui pouvait rester de divin dans l'esprit français... Je crois à la nature et je ne crois qu'à la nature... Je crois que l'art est et ne peut être que la reproduction exacte de la nature... Ainsi l'industrie qui nous donnerait un résultat identique à la nature serait l'art absolu. Un Dieu vengeur a exaucé les vœux de cette multitude. Daguerre fut son messie. Et alors, elle se dit : Puisque la photographie nous donne toutes les garanties désirables d'exactitude (ils croient cela les insensés!) l'art, c'est la photographie [103] ».

Selon lui la photographie doit retourner à sa véritable place qui est celle de servante des arts et des artistes, un simple outil; ni l'imprimerie, ni la sténographie, par exemple, n'ont créé ou produit la littérature.

La photographie apparut à Delacroix comme un très précieux auxiliaire qui pourrait compléter l'enseignement du dessin; il constatait que le daguerréotype doit, dans une certaine mesure, être considéré comme un traducteur capable de nous faire pénétrer plus profondément les mystères de la nature. Malgré sa réalité étonnante, la photographie, dans un certain sens, n'est qu'un reflet de la réalité, qu'une copie servile à force d'exactitude. Il déclarait à propos d'une critique du livre de Madame Cavé sur *le Dessin sans Maître* que « dans la peinture, c'est l'esprit qui parle à l'esprit, et non la science qui parle à la science ». « Cette réflexion de Madame Cavé reprend la vieille querelle de la lettre et de l'esprit : c'est la critique de ces artistes qui, au lieu de prendre le daguerréotype comme un conseil, comme une espèce de dictionnaire, en font le tableau même. Ils croient être bien plus près de la nature quand, à force de peines, ils n'ont pas trop gâté dans leur peinture le résultat obtenu d'abord mécaniquement. Ils sont écrasés par la désespérante perfection de certains effets qu'ils trouvent sur la plaque de métal. Plus ils s'efforcent de l'imiter, plus ils découvrent leur faiblesse. Leur ouvrage n'est donc que la copie nécessairement froide de cette copie imparfaite à d'autres égards. L'artiste, en un mot, devient une machine attelée à une autre machine [104]. »

Delacroix rejetait la photographie en tant qu'œuvre d'art, l'essentiel, à son point de vue, n'était pas la ressemblance extérieure, mais l'esprit. Le portraitiste doit nous montrer plus que nous n'avons coutume de voir. « Examinez les portraits faits au daguerréotype : sur cent, il n'y en a pas un de supportable, car, bien plus que la régularité des traits, concluait-il, nous surprend et nous enchante la physionomie que nous percevons du premier coup d'œil, et que jamais ne percevra un appareil mécanique [105]. » L'artiste doit, avant tout, comprendre et reproduire l'esprit de l'homme ou de l'objet qu'il dessine.

La critique de la photographie par cet artiste était la conséquence logique de son attitude et de sa conception artistique
générale. Il essayait toutefois de rendre justice aux qualités de la
photographie dans laquelle il voyait bien plus qu'un simple
procédé nouveau. Il s'intéressait même particulièrement à son
évolution et devint membre de la première société photographique.
Nadar était du reste un de ses amis comme le photographe était
aussi l'ami de Baudelaire sur lequel il a publié un livre.

Cependant que la plupart des artistes refusaient à la photographie la valeur de l'art, cette nouvelle technique enchantait les
peintres du *juste milieu*. Considérant leur façon de peindre, on
comprend pourquoi, justement pour eux, la photographie est un
art nouveau, ou tout au moins un inestimable auxiliaire. Delaroche
s'écriait, en voyant les premières photographies : « A partir
d'aujourd'hui la peinture est morte », et le premier, en 1839,
date à laquelle on ne pouvait pas du tout juger la qualité artistique
de la photographie d'après ce qui existait, il rédigeait une note,
insistant sur cette qualité. Il déclarait dans une lettre à Arago,
dont celui-ci donna lecture à la Chambre « que la nature y est
reproduite non seulement avec vérité mais encore avec art... La
correction des lignes, la précision des formes y est aussi complète
que possible, et l'on y trouve en même temps un modelé large,
énergique, et un ensemble aussi riche de ton que d'effet... Lorsque
ce moyen sera connu, il sera bien facile alors d'obtenir en quelques
instants l'image la plus précise d'un endroit quelconque [106] ».

Le peintre d'histoire, pour qui l'essentiel était avant tout la
reproduction exacte, devait trouver dans la photographie l'auxiliaire idéal. Les peintres du *juste milieu* furent des premiers à
mettre pratiquement en valeur la photographie. Le peintre Yvon,
par exemple, élève de Delaroche, joua sous le Second Empire un
certain rôle. Il devait sa renommée au fait qu'il prenait les victoires françaises comme objets de ses tableaux. Son style exact
et conventionnel, propre aux peintres bataillistes de son époque,
était fort apprécié de Napoléon III.

Yvon décida un jour de reproduire la bataille de Solférino;
il voulait y représenter l'Empereur à cheval au milieu de son
état-major. Il lui semblait impossible de demander au chef de
l'État le nombre de séances nécessaire. Accompagné du photo-

graphe Bisson, il se rendit aux Tuileries, fit prendre à l'Empereur la pose désirable, lui fit tourner la tête et éclaira le tout de la lumière qu'il voulait reproduire. La peinture qui en résultat devint célèbre sous le nom de *l'Empereur au képi*. Cet événement eut un curieux épilogue. Le photographe Bisson commercialisant l'impérial cliché, atteignit un fort tirage. Yvon se fâcha et l'histoire eut une suite judiciaire. Le peintre prétendait que la photographie était due à sa seule initiative, qu'il l'avait arrangée et qu'elle était son œuvre au point de vue de la reproduction artistique; il avait du reste payé le photographe pour son travail, et protestait contre la publication de l'épreuve. Son véritable mobile était certainement la crainte qu'il avait de voir sa propre œuvre dépréciée; il serait tellement facile, quand la photographie serait vendue en masse, de voir que le peintre l'avait exactement copiée! Le tribunal donna gain de cause au peintre et interdit la vente de la photographie [107].

Les cris de protestation qu'élevaient à cette époque de nombreux artistes contre la photographie avaient, bien souvent, un motif tout à fait intéressé. La plaque, en un temps étonnamment court, avait conquis le domaine du portrait. Sa concurrence, imbattable par le graveur et le miniaturiste, devenait également dangereuse pour le peintre portraitiste. Et cela à une époque où la mode du portrait s'introduisait dans tous les milieux bourgeois. La commande des portraits formait la base principale des bénéfices du peintre. Aux expositions annuelles, la proportion de portraits grandissant d'une année à l'autre, par rapport aux paysages et aux natures mortes, révélait la tendance de l'époque [108].

A mesure que le portrait se multipliait, ses dimensions se rapetissaient; il ne devait plus orner la vaste galerie des ancêtres, mais bien trouver place sur les murs des appartements bourgeois. Mais le bourgeois était économe et, de plus en plus, il se contentait de la photographie qui, entre autres avantages, avait celui d'une grande exactitude. Pour quelques francs de supplément, d'ingénieux opérateurs coloriaient l'épreuve de roses et de bleus irrésistibles et *tout à fait naturels*. L'artiste, qui vivait du portrait, voyait de jour en jour diminuer ses commandes; le grand coupable était la photographie et il n'est pas étonnant que la plupart de ces artistes, notamment ceux d'un talent moyen, aient voué une hostilité profonde à cette mode qui ne cessait de gagner du terrain.

L'expansion et la déchéance du métier de photographe

Presque tous les artistes ont refusé à la photographie la dignité l'œuvre d'art. Diverses considérations esthétiques ainsi qu'une certaine appréhension de la concurrence ont beaucoup contribué à ce jugement.

Un trait essentiel de l'économie capitaliste construite sur l'idée le concurrence, consiste dans un effort de destruction réciproque et cela par tous les moyens. Les photographes, à l'encontre des artistes, étaient unanimes : la photographie se rattachait à l'art et non à l'industrie; cette façon de voir les choses leur donnait en effet beaucoup plus de crédit auprès du public. Mais dès qu'ils durent faire face à la concurrence dans leur propre camp, leur position se modifia et s'orienta d'après les avantages qu'ils pensaient tirer des circonstances. Ces différentes attitudes devinrent prétexte à de nombreux procès où la question art ou industrie camoufle en réalité une concurrence acharnée.

Cette concurrence commence avec l'extension du métier de photographe. En 1864, vingt-cinq ans après la divulgation de la photographie, vingt-cinq périodiques spécialisés paraissent en six pays différents [109]. Il se fonde presque autant de sociétés photographiques qui se proposent d'organiser des expositions, de défendre les intérêts de leurs membres, de créer des entreprises et de vendre des clichés. Ces faits témoignent de l'essor que prend la photographie. On a fondé un *Comptoir International* dont le commerce est le but principal; tout ce qui touche à la photographie entre dans le cadre des activités du Comptoir : fabrication les appareils, des accessoires, des produits chimiques et autres et notamment fondation d'éditions et de journaux traitant de

Appuyez sur le bouton, nous faisons le reste » (1890).

photographie. Le Comptoir, dont le siège est à Paris, essaie de devenir l'intermédiaire entre le fabricant et le photographe et entre ce dernier et le public. Une de ses branches consistait à organiser l'importation et l'exportation. L'année 1862 voit se fonder la *Chambre syndicale de photographie*.

A part la commande directe du portrait, une ressource importante de l'atelier consiste dans la vente de reproductions de portraits de personnes ou de vedettes de la vie publique : on les tirait en format *carte de visite*, alors en usage. Les journaux illustrés n'existaient pas encore, la grande presse ne connaissait pas le cliché sensationnel qui a vulgarisé la physionomie des grands du jour. Ce public de 1860 voyait encore un attrait particulier à posséder la photographie de quelqu'un de connu.

Mais tout le monde ne peut s'enorgueillir de bonnes relations avec les élites intellectuelles et politiques, qui sont la condition essentielle d'un tel commerce, et tout le monde non plus ne s'enrichit pas dans la simple fabrication du portrait bourgeois. Il y eut donc des photographes qui se contentèrent de copier les portraits à succès de leurs concurrents et d'en tirer bénéfice. Ces faits devinrent un prétexte à cette procédure au cours de laquelle se débattait la fameuse question de principe : à quel domaine appartient la photographie?

En 1860, aucune loi spéciale n'existait en France sur la photographie. Dans ce débat sur la photographie considérée ou non comme œuvre d'art, où se heurtaient violemment artistes, artisans et hommes de lettres, c'était aux tribunaux qu'il appartenait maintenant de décider. La position des photographes était claire : la défense, chaque fois, faisant valoir la non-assimilation de la photographie à l'œuvre d'art, l'accusation avec la même âpreté affirmait le contraire. Les décisions des tribunaux étaient mitigées. Dans un de ces procès devenu célèbre, celui des photographes Mayer et Pierson contre les photographes Bethéder et Schwabbe, qui passait par plusieurs instances, il fut finalement décidé que la photographie devait être reconnue comme une œuvre d'art [110].

Au cours du XIXe siècle, les tribunaux n'eurent pas seulement occasion de statuer sur la valeur artistique de la photographie; un certain genre de photographie commençait à préoccuper l'Etat en tant que gardien de la morale. Le format carte de visite était particulièrement apte à mettre en circulation certaines images qui ne semblaient pas toujours en conformité avec les règles de la décence bourgeoise. Quelques photographes de troisième ordre, auxquels le portrait n'apportait pas assez de bénéfices et disposés à mieux respecter les exigences du commerce que celles de la vertu découvrirent le moyen, en peu de temps, d'amasser une fortune satisfaisante. Il était également facile de trouver assez d'amateurs pour ce genre de produits de l'objectif. Ainsi de braves bourgeois, et encore plus leurs rejetons, n'étaient pas hostiles à l'idée de garder sur leur cœur les beautés de l'académie féminine. Ce genre d'industrie n'était toutefois pas sans danger et la découverte de tentatives d'une telle vente était judicieusement sanctionnée d'une forte peine d'emprisonnement. Vers 1850 déjà fut promulguée une loi qui punissait la vente des photographies obscènes sur la place publique comme un délit d'outrage à la morale et aux mœurs. Ces premières photographies de *nu* qui, par ordonnance de justice, furent classées au rang de scandale public et contre lesquelles la voix hautement respectée du procureur prononça de vitupérantes mercuriales, feront sourire nos contemporains [111]. Dans combien de *sex-shops* ne voyons-nous pas aujourd'hui des photographies autrement osées qui ne troublent plus le regard d'aucun procureur.

Le métier du portraitiste photographe prit un très grand essor dans les dernières décennies du XIXe siècle. En 1891, existent en France plus de mille ateliers et la photographie occupe plus d'un demi-million de personnes. La valeur globale de la production s'élève à environ trente millions de francs-or. Dans d'autres pays d'Europe et surtout en Amérique, cette évolution est encore plus marquée. Mais les progrès techniques qui rendirent possible la réussite du portrait photographique, sont ceux-là mêmes qui lentement la condamnent à sombrer. Ce qui caractérise essentiellement la photographie, c'est sa technique de reproduction mécanique. Dans la mesure où la machine prenait une place prépondérante parmi les moyens de production de la société bourgeoise, le travail manuel et l'esprit individuel des débuts de la photographie disparaissaient peu à peu pour faire place à un métier de plus en plus impersonnel.

Vers la fin du siècle apparaissent des appareils de manipulation plus facile. « Pressez sur le bouton, nous faisons le reste », fut la célèbre devise de Kodak qui devait révolutionner de fond en comble le marché de la photo. Des centaines de milliers de gens qui s'étaient rendus naguère chez le photographe professionnel pour se faire portraiturer, commencèrent à se photographier eux-mêmes. La photographie d'amateur prend un grand essor. Le commerce y trouve des bénéfices énormes. Dans tous les quartiers des villes surgissent des magasins photographiques. La plupart de leurs propriétaires sont des portraitistes photographes qui ne peuvent plus vivre uniquement des commandes de portraits. Ils continuent à exercer cette profession, mais le public ne fait appel à eux que dans des circonstances spéciales, telles que photos de nouveau-nés, baptêmes, mariages, etc. Leurs seules ressources sûres sont les travaux d'amateurs, joints à la vente des appareils et des accessoires.

Si l'artiste photographe obtenait en 1855 encore cent francs-or par épreuve, quelques décennies plus tard ce prix n'est que de vingt francs environ. Vers la fin du siècle, les grands magasins commencent à produire des photographies encore moins chères et deviennent une concurrence dangereuse pour le photographe de métier. Enfin le *photomaton*, machine complètement automatique qui, en quelques minutes, photographie, développe et réalise plusieurs épreuves sur papier, prive le photographe professionnel des ressources considérables des photos d'identité.

Dans les dix premières années de la photographie, où seul un nombre restreint de spécialistes exerçait et où les difficultés des procédés requéraient des connaissances bien particulières, la photographie semblait, comme les arts, entourée du mystère de la création. Plus tard, avec la simplification des procédés qui permit à chaque individu de s'exercer facilement en ce domaine, la photographie devait perdre ce prestige.

Parallèle à cette évolution s'accomplit la déchéance artistique du portrait photographique. Vers 1900, sa décadence devenait de plus en plus évidente. Elle fut surtout causée par le fait que le photographe dépendait plus que jamais du goût de sa clientèle et qu'il était forcé de travailler à bon marché. C'est à cette époque qu'on invente des procédés nouveaux comme des papiers au charbon, à la gomme, à l'huile, au bromoïl, etc., à l'aide desquels on essaya de faire ressembler de plus en plus la photographie à la peinture à l'huile, au dessin, à des eaux-fortes, lithographies et autres techniques du domaine de la peinture. Leur effet principal consiste à remplacer la netteté de l'objectif par le flou. Les photographes croyaient donner une note artistique à leurs épreuves s'ils effaçaient ce qui est justement caractéristique de l'image photographique, sa netteté. Le style impressionniste dans la peinture a joué un rôle important dans cette évolution. Plus la photographie paraissait un substitut de la peinture, plus le grand public peu cultivé la trouvait « artistique ». Pour souligner encore ces effets de flou, on utilisait toutes sortes de retouches et de produits chimiques pour donner des tonalités différentes à ces épreuves qu'on appellerait aujourd'hui des non-photographies. Finalement on les présentait dans des cadres massifs de bronze ou d'argent, enjolivés de dessins tortueux pour en souligner encore la valeur fictive.

A cette époque de la déchéance artistique vivent deux amateurs qui, avec le recul du temps, vont prendre dans l'histoire de la photographie des figures de géants. Tous les deux sont issus d'un milieu modeste. L'un est le parisien Eugène Atget, l'autre le berlinois Heinrich Zille. Atget naît en 1857 et Zille en 1858. Le premier meurt en 1927 et le second en 1929. Atget, fils d'un artisan carrossier de province, est d'abord marin. En 1879 il vient à Paris et s'inscrit au Conservatoire d'art dramatique. Il devient acteur ambulant. Il s'essaie aussi, sans succès, à la peinture. En 1899, juste avant la fin du siècle, il se tourne vers la photographie. Il achète à bon marché un lourd appareil à soufflet, déjà démodé à l'époque, muni en plus d'un immense pied en bois. Il part tous les matins à travers Paris à la recherche de motifs. Le soir, il développe, dans sa cuisine, ses plaques de format 18 × 24. Au-dessus de sa porte il a cloué une enseigne « Photographies pour artistes ». Durant quinze ans, il photographie les rues de Paris, ses monuments et ses fontaines, quelques fois les petits métiers de rue, du vendeur de parapluies au mendiant avec son orgue de barbarie. Parmi ses clients, il y a surtout des peintres. Il vend aussi des photos d'étalages aux boutiquiers.

Son commerce marche assez bien jusqu'à la guerre de 14. A partir de cette date, ses affaires périclitent. Les peintres se sont détournés du naturalisme et ont de moins en moins besoin de photos pour modèles. En 1920, il vend 2 000 de ses plaques aux Archives nationales. Il en avait demandé 10 F pièce, mais on ne lui en donne que 5 F. Il se fait vieux et ne photographie plus.

Il vit assez misérablement de la vente de ses photos d'archives. Man Ray, qui habite comme lui un atelier rue Campagne Première à Montparnasse, achète quelques-unes de ses images en 1925 et en fait publier trois, en 1926, dans la revue d'avant-garde *la Révolution surréaliste*. L'auteur reste anonyme, mais les surréalistes, et André Breton le premier, admirent ces photos qui reflètent une époque déjà révolue mise à nu par l'œil chirurgical d'Atget. La majorité de ces photos représentent des rues où l'on ne voit que rarement un être humain, car Atget ne fait pas d'instantanés. Elles sont obsédantes par leur vide, et les détails qu'il a photographiés sont autant de natures mortes.

Jusqu'à la publication, en 1975, d'un album de photographies du berlinois Heinrich Zille, Atget fut considéré comme le père de la photographie documentaire. Maintenant on sait qu'il y en avait deux.

Zille est le fils d'un artisan serrurier. Il a neuf ans quand son père s'installe à Berlin. Avec l'expansion industrielle, la capitale permet de meilleures chances de réussite. L'appartement de ses parents, situé dans la cave d'une maison d'un quartier populeux, se compose d'une seule pièce. A quatorze ans, il quitte l'école primaire. Son père veut le faire entrer comme commis dans une boucherie, mais le jeune garçon a peur de ce métier sanglant. Son instituteur a remarqué qu'il est doué pour le dessin. Il lui propose de devenir lithographe.

« C'est un métier où l'on est assis dans une chambre chauffée avec col et cravate, et à 4 heures de l'après-midi on est libre. Après trois années d'apprentissage, on est appelé « vous ». « Que veux-tu de plus? », lui dit son maître. Heinrich Zille raconta plus tard : « Je ne voulais pas plus. L'espoir d'être vouvoyé a décidé de mon destin. »

Il se perfectionne dans le dessin en assistant à des cours du soir. C'est un autodidacte qui devient un excellent dessinateur à force de travail et d'obstination. Plus tard, on le retrouve lithographe à la société photographique de Berlin. Il y restera de longues années, jusqu'au jour où l'on commence à estimer ses dessins, et où il est élu membre de l'Académie prussienne des Arts.

Zille est une sorte de Daumier populaire. Il dessine avec beaucoup d'humour son « milieu », c'est-à-dire les ouvriers et les petits bourgeois. Vers 1890, il commence à faire des photographies. Son seul but est de se servir de ses photos comme modèle.

Si Atget a photographié surtout des rues vides, Zille ne s'intéresse qu'à ses habitants. Au marché, ce ne sont pas les étalages qui attirent son regard, mais les bonnes femmes en train de faire leurs provisions. A la foire, il ne photographie pas les attractions, mais les spectateurs. Ceci ne l'empêche pas de photographier les cours des maisons insalubres où habitent les ouvriers, où les enfants des pauvres vont pieds nus. Quarante ans avant Brassaï, il photographie des graffiti et des inscriptions amusantes sur les enseignes des boutiquiers. L'idée ne lui vient jamais d'exposer ces photos. D'ailleurs personne à cette époque ne leur aurait attribué la moindre valeur, encore moins lui-même ou un membre de sa famille. C'est pour cette raison que ces photos furent découvertes si tardivement.

Heinrich Zille est le premier photographe « concerné » pour qui ne compte que ce qu'il voit. Il est le premier d'une lignée de photojournalistes incorruptibles, qui l'ont suivi à partir des années trente, sans le connaître. Pour lui comme pour eux, la personnalité du photographe doit disparaître modestement derrière l'appareil, qui n'est que l'instrument sensible grâce auquel une situation ou une personnalité se révèle.

L'influence de l'impressionnisme sur la photographie (Puyo vers 1900).

Deux photographes : Atget (Paris, 1900).

Zille (Berlin, 1900).

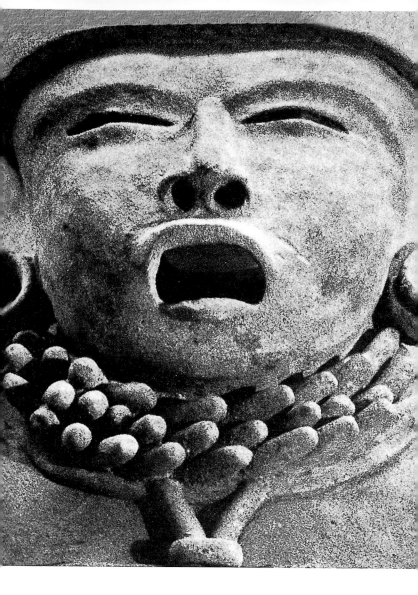

L'agrandissement d'un détail change l'œuvre d'art.
(Divinité zapotèque, Mexico).

La photographie, moyen de reproduction de l'œuvre d'art

La polémique suscitée dès l'invention de la photographie pour décider si elle relevait ou non de l'art, ne touchait qu'un problème limité. Les bouleversements qu'elle devait par contre entraîner comme moyen de reproduction de l'œuvre d'art étaient d'une portée immense. Jusqu'alors, l'œuvre d'art n'était visible qu'aux contemplateurs isolés; reproduite en millions d'exemplaires, elle devenait accessible aux masses. Cette évolution avait commencé avec la gravure, la lithographie ensuite, mais ce n'est qu'avec l'invention des techniques photographiques que l'art perd l'aura d'une création unique.

Si la photographie a exercé une influence profonde sur la vision de l'artiste, elle a changé aussi la vision de l'homme de l'art. La manière de photographier une sculpture ou une peinture dépend de celui qui se trouve derrière l'appareil. Le cadrage et l'éclairage, l'accent que le photographe met sur les détails d'un objet peuvent complètement modifier son apparence. Les reproductions que nous contemplons dans un livre d'art changent en fonction de l'échelle à laquelle elles sont reproduites. Un détail démesurément agrandi fausse l'image que nous pouvons nous faire de l'ensemble d'une sculpture ou d'une peinture. Une miniature peut sembler aussi grande que l'immense sculpture du *David* de Michel-Ange à Florence. « La reproduction a créé des arts fictifs en faussant systématiquement l'échelle des objets, en présentant des empreintes de sceaux orientaux et de monnaies comme des estampes de colonnes, des amulettes comme des statues », constate Malraux dans *le Musée imaginaire*.

Tout en falsifiant une œuvre d'art dans la mesure où ses dimensions ne sont plus clairement reconnaissables, la photographie lui a rendu l'immense service de la sortir de son isolement. On peut dorénavant contempler la reproduction d'une œuvre d'art chez soi sous la lampe, à l'intérieur d'une maison privée, tandis que l'original se trouve dans un musée à des milliers de kilomètres [112].

Dès 1860, Disderi, avec son flair des affaires, avait proposé au gouvernement français de photographier les tableaux du Louvre. Il avait essayé de s'en assurer le droit de reproduction, mais la fabrication massive de portraits ne lui laissa pas le temps de mettre en œuvre cette idée.

Un des premiers en France qui devait se consacrer entièrement à la reproduction d'œuvres d'art fut Adolphe Braun [113]. Il est né en 1811 dans le petit village alsacien de Dornach, près de Mulhouse. Braun était dessinateur et son métier consistait à faire des dessins de fleurs et de fruits pour des usines de tissus alsaciennes. Dès la publication de l'invention de la photographie, il se mit en rapport avec Daguerre, car il réalisa tout de suite que ce nouveau moyen technique pouvait être d'une utilité immense pour reproduire les dessins. Deux inventions devaient l'aider dans ses initiatives : la découverte en 1851 des plaques au collodion humide avec émulsions de plus en plus sensibles et la découverte en 1860 du papier au charbon, assurant l'inaltérabilité des épreuves positives. Vers 1862, il commença la reproduction méthodique des dessins des musées : ceux d'Holbein à Bâle, puis les dessins du Louvre, de Vienne, de Florence, de Milan, de Venise, de Dresde, etc. Grâce à la variété des pigments des papiers au charbon, il arriva à des résultats de grande qualité. Il commence à éditer les *Autographes des Maîtres*.

Vers 1867 son atelier occupait déjà plus de cent ouvriers et le métier de la reproduction, jusqu'alors artisanal, commençait à entrer dans son stade industriel. Adolphe Braun forma des opérateurs pour photographier les peintures des musées. Parmi ses collaborateurs se trouvait un ancien gendarme. En 1868, il l'envoya à Rome pour photographier le plafond de la Sixtine. Six mois de préparatifs, deux années de travaux. L'ancien gendarme, enthousiaste, curieux, dévoué, conquit le Vatican, jusqu'au Saint-Père qui, intéressé, venait, dit-on, plusieurs fois par semaine rôder autour des échafaudages et bavarder avec l'Alsacien [114]. Après la

Sixtine, c'est la Farnésine et les fresques des églises de Rome, les sculptures de Michel-Ange, les peintures de Raphaël, puis les musées de Londres, de Madrid, d'Amsterdam, etc. Braun fit photographier tous les maîtres et petits maîtres : une collection de cinq cent mille clichés est constituée.

Adolphe Braun, le premier en France qui avait compris les possibilités de la photographie comme moyen de reproduction d'art, meurt en 1877. Son fils lui succède, puis le fils de celui-ci. Cette entreprise familiale ne cessera de grandir et de s'étendre à tous les domaines. L'invention des plaques au gélatino-bromure d'argent, en 1880, favorise son essor. La fabrication du papier au charbon est d'environ cinquante mille mètres carrés par an. Dans le catalogue de 1887, de cinq cent cinquante pages, sont offertes des milliers de reproductions. L'entreprise Braun s'assure la vente en exclusivité des reproductions au musée du Louvre.

Le procédé le plus ancien de l'héliogravure, exécuté à la main, ne permettait qu'un tirage d'environ soixante épreuves par jour. Bientôt la gravure en creux ou rotogravure par encrage et tirage mécaniques fournit de quinze cents à deux mille impressions à l'heure. En 1920, avec cent quatre-vingts ouvriers, Braun et Cie produit des centaines d'albums et de guides et des millions de cartes postales en noir et en couleurs, car à la vulgarisation des peintures par images monochromes se superposent les reproductions en couleur. Dès 1930 (c'est déjà la quatrième génération qui succède à Adolphe Braun) commencent les publications *les Maîtres*, dites *Musée de Poche*, avec le texte en trois langues, où les peintres contemporains, Van Gogh, Gauguin, Bonnard, Matisse, Braque, Picasso, etc., sont révélés exclusivement par des planches en couleur. A ces ouvrages d'initiation et de bibliothèque, il faut ajouter l'édition et la diffusion en fac-similés qui sont d'une grande qualité et mettent à la portée de tous, les maîtres qui, des origines à nos jours, firent la peinture. Le *musée chez soi* est né et permet à tout le monde d'avoir une galerie particulière. Ceux qui ne peuvent pas acheter des ouvrages originaux, et ils sont des millions, peuvent maintenant posséder à bon marché des reproductions d'une qualité parfaite.

Une industrie énorme, fondée sur la reproduction, prend son essor dans toute l'Europe et l'Amérique. Il y a des imprimeurs de goût qui ne reproduisent que des œuvres d'art véritables, mais il y a aussi d'innombrables éditeurs qui ne font que reproduire des œuvres médiocres qui flattent les masses. Le chiffre d'affaires de cette nouvelle industrie s'élève à des milliards de francs.

Une autre industrie, directement dérivée de la technique de la reproduction photographique, est la carte postale. Elle prit son essor avec une loi, promulguée en 1865 en Allemagne, quand le ministre des Postes proposa l'emploi des cartes postales officielles. Une loi similaire fut promulguée en France en 1872. Mais l'âge d'or de la carte postale commence vraiment à partir de 1900. Jusqu'alors le prix de la carte postale était élevé, car les seuls procédés de reproduction connus étaient la pointe sèche, le burin et la lithographie. Avec l'invention de la photocollographie qui se subdivise en héliotypie, photolithographie et phototypie, la carte postale devint vraiment populaire car son prix d'achat était à la portée de tous.

Un des premiers à lancer la carte postale touristique avec des vues photographiques se nommait François Borich. Il fit fortune avec des vues de son pays, la Suisse. Vers 1900 les statistiques de la production donnaient les résultats suivants :

Allemagne : 50 millions d'habitants, 88 millions de cartes.
Angleterre : 38,5 millions d'habitants, 14 millions de cartes.
Belgique : 6,5 millions d'habitants, 12 millions de cartes.
France : 38 millions d'habitants, 8 millions de cartes.

Onze ans plus tard, en 1910, on estime à 123 millions le nombre des cartes imprimées en France seule, et à environ trente-trois mille celui des ouvriers employés dans cette industrie. Aujourd'hui on peut chiffrer par milliards les cartes postales vendues chaque année dans le monde entier [115].

Cet engouement collectif pour les cartes postales qui envahirent le monde en peu d'années a sans doute des origines psychologiques. Ado Kyrou donne, dans son très beau livre *l'Age d'or de la carte postale*, une série de raisons qui sont perspicaces et amusantes. Je le cite : « En choisissant une carte postale, l'acheteur s'identifie un peu avec l'artiste qui l'a conçue. Envoyer une carte postale qui représente la vue d'un paysage où l'on se trouve, est une affirmation de ses propres possibilités de pouvoir voyager, donc un symbole de son statut social. En écrivant des choses personnelles dont on sait consciemment ou inconsciemment que n'importe qui peut les lire, on se donne de l'importance en sortant de l'anonymat; en quelque sorte on est publié. On pourrait y ajouter une sorte d'exhibitionnisme : celui qui aime, qui hait, a besoin de crier sa passion à la face du monde. Depuis des siècles, les hommes attendaient le moment où ils pourraient dire « je t'aime » ou « merde » ouvertement. Le succès de la carte postale est aussi fondé sur le souvenir que l'on veut perpétuer, le rêve que l'on peut acheter à bon compte, le voyeurisme et tous ses succédanés, enfin la paresse, une carte est plus vite écrite qu'une lettre, et enfin la manie des collections. » La carte postale devient en effet, dès son apparition, un sujet de collection. Vers 1900, il y eut en France 33 revues cartophiliques. On trouve aussi des revues en Allemagne, en Italie, aux États-Unis, au Japon, etc qui s'adressent aux collectionneurs.

L'influence du tourisme qui se répand de plus en plus, fut immense sur l'essor de la carte postale; la publicité s'emparait d'elle dès ses débuts. Dans les années soixante, on a imprimé en France seule près d'un milliard de cartes postales. Aujourd'hui la majeure partie est imprimée en couleur.

L'angoisse d'une mère (Ernst Haas, 1945). →

1968 (Gilles Caron). →

La jeunesse contre les fusils (Marc Riboud, Washington, 1967). →

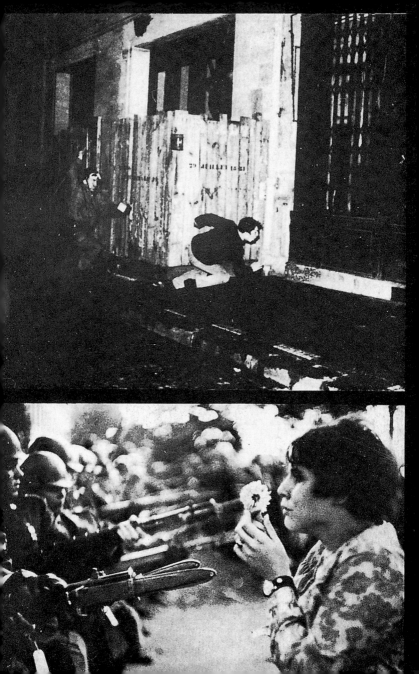

L'abordage du « Saint-Marc » par le « Fountain-Abbey » au Havre : le vapeur français coulé dans l'avant-port. — Phot. Caccia.

NOS GRAVURES

EDMOND DE GONCOURT

Edmond de Goncourt s'est éteint presque subitement, le jeudi 16 juillet, à Champrosay, où il était en villégiature chez M. Alphonse Daudet, son ami de vieille date. Né à Nancy, le 30 mai 1822, il venait d'entrer dans sa soixante-quinzième année, et il avait survécu de vingt-six ans à son frère cadet Jules, mort le 20 juin 1870.

Tout a été dit pour et contre Goncourt de son vivant, et les oraisons funèbres d'hier, panégyriques ou éreintements, n'ont été que le *tutti* final d'une symphonie cacophonique déjà entendue. Faut-il énumérer les diverses parties du morceau? Chœur des détracteurs : éloge outré de l'œuvre commune pour mieux écraser de la supériorité de Jules la médiocrité laborieuse d'Edmond; accusation d'influence néfaste sur la littérature contemporaine; reproche d'égoïsme féroce et d'étroitesse d'esprit, de vanité puérile; constatation d'une malignité déloyale ou d'une inconscience sénile dans les papotages indiscrets du *Journal*. Chœur des panégyristes : supériorité personnelle d'Edmond dégagé de la collaboration fraternelle; un amant passionné des lettres, un fervent de l'« art pur », l'inventeur de l'« écriture artiste », le père du naturalisme par l'aveu de M. Zola lui-même); et l'initiateur de la « littérature scientifique »; un « gentilhomme de plume », un « maréchal des lettres »; l'introducteur en France du « Japonisme »; une ingénuité hardie », une délicatesse raffinée, une sensibilité de femme s'alliant à un culte absolu de la vérité brutale, etc.

Tout cela, — côté louange et côté éreintement — est bien excessif. Le temps, grand niveleur de son état, se chargera de faire justice de ces outrances et de mettre au point cette figure non négligeable, qui restera celle d'un dilettante épris d'art et d'un écrivain très distingué. La disparition de M. Edmond de Goncourt, après l'achèvement de sa tâche, serait un événement parisien de moyenne importance et justifierait tout le bruit qu'on mène à ce propos dans le Landerneau littéraire si, sur la scène où il vient de quitter galamment, le rideau ne se levait pour un acte curieux de la comédie humaine.

Non content de tout bureau d'esprit dans son fameux « grenier », le solitaire d'Auteuil a voulu, tout comme Richelieu, fonder une Académie, — l'Académie qui ne serait pas au coin du quai, et qui assurerait l'immortalité au nom du fondateur, au cas où il ne survivrait pas dans les œuvres. Sans discuter l'utilité de cette jeune institution, fatalement exposée, malgré les précautions statutaires, aux mêmes écueils que sa vénérable aînée, on peut la proclamer la conception la plus originale, la plus hardie, la plus risquée des Goncourt, en raison de ses conséquences immédiates. Elle n'était pas encore sortie de l'œuf, en effet, que déjà elle procurait à son malheureux créateur de cruels soucis, suscitait autour de lui des ambitions aiguës et d'ardentes rivalités. Car il avait comme la grave imprudence de divulguer son projet et l'allocation d'une rente de 6,000 francs à chacun des dix élus de son choix, dont son testament devait indiquer les noms. De ce jour le « grenier » rappela l'échoppe du savetier de La Fontaine. La paix en fut bannie par l'obsession de l'or maudit. Mécène inquiet n'avait plus qu'une préoccupation : sonder le cœur de ses amis assidus, de son regard navré « comme un scalpel », pour y découvrir le ver rongeur de l'intérêt. De leur côté, les fidèles de la petite paroisse sentaient la sincérité de leur culte empoisonnée par un élément impur. Être ou ne pas être des Dix, telle était la question. Mais palper ou ne pas palper la rente rondelette, c'était la question aussi, et les candidats souffraient, mont et martyrs de cette fâcheuse et ineluctable corrélation entre l'honneur et l'argent. La crainte de paraître intéressés et cupides leur imposait la pénible obligation de mettre une sourdine à leurs cantiques laudatifs et même de se défendre contre de perfides insinuations. De peur d'être soupçonnés, les jaloux étaient obligés de masquer leur jardinière, et ce capitonner le billet sur lequel ils exécutaient en souriant un rival redouté.

La grande libératrice est venue enfin mettre un terme à ces angoisses oppressives. Le testament mystérieux est mort de la belle à surprises, c'est-à-dire du tiroir du notaire. Seulement, les dix élus désignés ne sont que huit. Il semble que, obéissant jusqu'au-delà de la tombe à la hantise d'un démon, mystificateur, M. de Goncourt ait voulu infliger à la nouvelle Académie, pour ses débuts, l'épreuve d'un premier scrutin.

Les immortels de la Concurrence », les quels, il faut le reconnaître, sont tous hommes de mérite, sauront probablement s'en tirer avec honneur. Mais une moralité se dégage de cette aventure : c'est qu'il en coûte gros — moralement s'entend — d'être pape d'une Église littéraire, surtout quand on se décerne soi-même la tiare pontificale; et c'est aussi qu'il y a pour des écrivains qui se réclament très haut de l'indépendance et de la dignité des lettres, une singulière inconséquence à s'enrôler précisément dans un de ces cénacles étroits, où l'on risque de voir s'annihiler, sinon les talents, du moins les caractères, où tout conspire, sinon contre la dignité, du moins contre l'indépendance.

EDMOND FRANK.

PARIS-CONFLANS... MARATHON

Le plus bel exploit dont s'enorgueillisse le noble sport de la course à pied est assurément celui du soldat de Marathon qui expira en arrivant à Athènes, après avoir accompli le trajet sans une halte, toujours courant, pour être le premier à annoncer la nouvelle de la victoire des Grecs. En organisant une course de Marathon à Athènes, les impresarii des modernes jeux olympiques eurent une idée géniale. Les gazettes du monde entier célébrèrent la victoire du berger hellène Louys qui accomplit en 2 h. 55 les 40 kilomètres d'épreuve.

Mais, à notre époque, les records ne s'établissent que pour être battus le lendemain. Notre confrère le *Petit Journal*, Mécène de tous les sports, promit bientôt de beaux prix monnayés qui départageraient, sur une distance et un parcours analogues, le temps du berger grec.

Paris-Conflans remplace Marathon-Athènes, et, dimanche dernier, 120 concurrents sur 284 inscrits se mettaient en ligne, à 6 heures du matin, à la Porte-Maillot. Ce qu'a vait de varié, d'imprévu et de pittoresque ce bataillon de champions, la photographie que nous publions le donnera mieux que toutes les descriptions.

Le peloton s'élance. Un Français, Mathlin, bondit aussitôt, prend une avance extraordinaire, distance tous ses rivaux. A bicyclette, ou plus simplement, en chemin de fer, simple curieux, nous le dépassons pourtant, et nous voici à Conflans, attendant son arrivée.

8 h. 1/2. Un remous dans la foule. C'est le vainqueur? Déjà!

— C'est le vainqueur, en effet, mais ce n'est pas Mathlin. Il est parti trop vite. La victoire revient au champion anglais. Léonard Hurst. L'entraînement britanni-

que triomphe. Les coudes au corps, le cou tendu, les yeux démesurément ouverts, jaillissant de l'orbite vers la baie des spectateurs qui l'acclament.

Une courte défaillance. Un instant il repose sur le lit préparé à son intention. Et il parle déjà de faire mieux. Il pourrait 16 kilomètres à l'heure; pourtant la distance n'est que de deux heures et demie. Il a battu de quatre minutes le record athénien.

Un Français, Bagré, le suit de près, frais, comme s'il venait de se livrer simple *footing* hygiénique. Mathlin, plus que seizième, et les neuf pre ont été plus vite que Louys. Mais les de Seine-et-Oise sont peut-être mei que celles de l'Attique.

Détail amusant : sur deux poin parcours assigné, à Versailles et à Germain, des contrôles étaient ins lnjouer un arrêt: on avait trouvé chaque concurrent, relentissant à p allure, tendait la main, et, à l'encre bile, on imprimait dans la paume clôt rien de plus simple : encore fa y penser.

L'ACCIDENT DU HAVRE

Un grave accident maritime a e lundi soir, au Havre, dans l'avant-p

Au moment où le vapeur français *Marc* sortait du port, le steamer a *Fountain-Abbey* venait de la mer très calme et chargé navire suivr route que lui assignaient les régleme rien ne pouvait faire faire prévoir d'une fausse manœuvre, les deux n'eux s'abordèrent, et l'étrave du *Fou Abbey* pénètra dans la muraille du *Marc*, à bâbord, près de l'avant, j travers du premier hauban de misai

Le navire anglais se dégagea au et, sans avaries graves, entra dans bassin. Le *Saint-Marc*, au contraire, immédiatement de l'avant et, huit mi après, on n'apercevait plus que le s pières, sa mâture et sa cheminée, geant au-dessus de l'eau. Tout l'équ avait pu être sauvé.

Le *Saint-Marc*, qui jauge 650 ton mesure 65 m. 70 de longueur. La plé de la coque était longue de 1 m. 40 et de 90 centimètres.

L'Imprimeur-gérant : L. MARC.
Imprimerie de *l'Illustration*, 13, Saint-Georges.

La photographie de presse

Les dernières décennies du XIXe siècle marquent le début d'une ère nouvelle. L'industrialisation déjà fortement mécanisée fait des pas de géant avec l'introduction du moteur électrique. Les marchés s'élargissent. La base de l'expansion repose sur la facilité des communications. Le téléphone est inventé par Graham Bell en 1876. En 1880, le réseau de chemin de fer mondial s'étend sur 371 000 kilomètres. La même année paraît pour la première fois dans un journal une photographie, reproduite par des moyens purement mécaniques. Cette invention est d'une portée révolutionnaire pour la transmission des événements.

Jusqu'alors, les reproductions dans la presse étaient rares et entièrement artisanales; elles reposaient sur la technique de la gravure sur bois; même les photos furent reproduites par ce moyen avec la mention « d'après une photographie ». Le nouveau procédé s'appelle *halftone* en Amérique et la photo paraît le 4 mars 1880 dans le *Daily Graphic* à New York sous le titre : « Shantytown » (bidonville). Cette technique consiste à reproduire une photographie à travers un écran tramé qui la divise en une multitude de points. On passe ensuite le cliché ainsi obtenu à partir d'une photographie sous une presse, en même temps qu'un texte composé. C'est le procédé de l'autotypie.

La mécanisation de la reproduction, l'invention de la plaque sèche au gélatino-bromure qui permet l'utilisation de plaques préparées d'avance (1871), l'amélioration des objectifs (les premiers anastigmats sont construits en 1884), la pellicule en rouleaux (1884), le perfectionnement de la transmission d'une image par

La photographie entre dans la presse.
(Une des premières photographies publiées par *l'Illustration*.)

télégraphie (1872) et plus tard par belinographie, ouvrirent le chemin à la photographie de presse.

Quand une invention est faite, il se passe souvent un temps considérable avant que toutes ses implications soient comprises. Un quart de siècle s'écoula avant que ce nouveau procédé de reproduction mécanique devienne chose courante. Ce n'est qu'en 1904 que le *Daily Mirror* en Angleterre illustre ses pages uniquement avec des photographies et en 1919 seulement que l'*Illustrated Daily News* de New York suit son exemple. Par contre les hebdomadaires et les revues mensuelles qui ont plus de temps pour préparer leurs éditions, publient des photographies dès 1885. Cette utilisation tardive de la photo dans la presse est due au fait que les clichés se font encore en dehors du journal. La presse, dont le succès est fondé sur l'actualité immédiate, ne peut attendre et les propriétaires de journaux hésitent à investir de grosses sommes d'argent dans ces nouvelles machines. De nos jours, nous constatons un fait similaire avec la photo en couleur. Tandis que les magazines en publient de nombreuses pages, elles sont encore rares dans les journaux, car la plupart des clichés en couleur se font dans les imprimeries spécialisées.

L'introduction de la photo dans la presse est un phénomène d'une importance capitale. Elle change la vision des masses. Jusqu'alors, l'homme ordinaire ne pouvait visualiser que les événements qui se passaient tout près de lui, dans sa rue, dans son village. Avec la photographie, une fenêtre s'ouvre sur le monde. Les visages des personnages publics, les événements qui ont lieu dans le pays même et en dehors des frontières deviennent familiers. Avec l'élargissement du regard, le monde se rétrécit. Le mot écrit est abstrait, mais l'image est le reflet concret du monde dans lequel chacun vit. La photographie inaugure les mass media visuels quand le portrait individuel est remplacé par le portrait collectif. Elle devient en même temps un puissant moyen de propagande et de manipulation. Le monde en images est façonné d'après les intérêts de ceux qui sont les propriétaires de la presse : l'industrie, la finance, les gouvernements.

Dès le début de la photographie, on avait essayé de fixer des événements publics sur la plaque, mais la technique encore rudimentaire ne permettait que des images isolées et à la condition que la lumière soit favorable. Quand on se remémore les aventures du photographe anglais Roger Fenton, ancien avocat et un des premiers à avoir essayé de photographier une guerre, on se rend compte des pas de géant que la photographie a parcourus depuis.

C'est en février 1855 que Fenton s'embarque pour photographier la guerre de Crimée*. Il est accompagné par quatre assistants * p. 164 et amène avec lui une grosse voiture qui doit être tirée par trois chevaux. Ce lourd véhicule, qui avait appartenu à un marchand de vin, lui servit de chambre à coucher et de laboratoire à la fois. Le matériel qu'il embarque est énorme : trente-six grosses caisses, plus les harnais pour les chevaux et leur nourriture! Arrivé à destination, Fenton constate que la chaleur rendra son travail extrêmement difficile. L'atmosphère dans son laboratoire ambulant est étouffante. Quand il prépare ses plaques – car à cette époque on en est encore au stade du collodion humide et il faut les préparer juste avant leur utilisation –, il lui arrive souvent de les voir sécher avant même de pouvoir les insérer dans sa caméra. Le temps de pose est de 3 à 20 secondes, et toutes les photos doivent être posées sous le soleil torride. Après trois mois de travail acharné, il rapporte environ 360 plaques à Londres. Ces images ne donnent qu'une idée très fausse de la guerre, car elles ne représentent que des soldats bien installés derrière la ligne de feu. L'expédition de Fenton avait été commanditée à condition qu'il ne photographierait jamais les horreurs de la guerre, pour ne pas effrayer les familles des soldats [116].

De la guerre civile américaine qui débuta en 1861, le célèbre photographe Matthew B. Brady rapporta des milliers de daguerréotypes. Mais il n'était pas commandité comme Fenton; il s'était lancé dans cette aventure comme dans une entreprise commerciale pour laquelle, en plus de tout son argent, il dut emprunter des capitaux. Son propos était de vendre ces photos après la guerre. Il réalisa son projet avec l'aide d'une vingtaine de photographes, employés par lui.

Les images de Fenton, censurées d'avance, font apparaître une guerre comme une partie de pique-nique, mais celles de Brady et de ses collaborateurs, parmi lesquels Timothy O'Sullivan* * p. 165 et Alexander Gardner, donnent pour la première fois une idée extrêmement concrète de son horreur. Les terres brûlées, les maisons incendiées, les familles en détresse, les nombreux morts sont photographiés par eux dans un souci d'objectivité qui donne à ces documents une valeur exceptionnelle, surtout si l'on se rappelle que la technique rudimentaire de la daguerréotypie (les appareils pèsent encore des kilos, la préparation des plaques, le temps de pose sont longs) ne facilitait pas leur travail.

Mais la vente des photographies ne correspondait pas du tout aux espérances de Brady et il perdit toute sa fortune dans cette aventure. Il devait céder finalement ces photos à son principal créditeur, la firme de produits photographiques qui lui avait fourni le matériel. Celle-ci imprima et publia ces photos pendant plusieurs années, mais Brady était ruiné [117].

* p. 9   Pendant la guerre franco-prussienne de 1870, des centaines de photographies furent prises et, durant la courte existence de la Commune*, ses défenseurs se laissaient volontiers photographier sur les barricades [118]. Ceux qui furent reconnus d'après ces images par les policiers de Thiers, furent presque tous fusillés. Ce fut la première fois dans l'histoire que la photographie servit d'indicateur de police.

* p. 8   La même année 1870 débarqua en Amérique un Danois de 21 ans, Jacob A. Riis*. Quelques années plus tard il devint journaliste à la *New York Tribune*. Il fut le premier à se servir de la photographie comme instrument de critique sociale pour illustrer ses articles sur les conditions de vie misérables des immigrants dans les bas quartiers de New York. Son premier livre *How the other Half lives* (Comment vit l'autre moitié) paraît chez Scribner à New York, en 1890, et remue profondément l'opinion publique.

* p. 149   Plus tard, il sera secondé par Lewis W. Hine*, un sociologue qui photographiera entre 1908 et 1914 les enfants, au travail douze heures par jour dans les usines et dans les champs, ou dans les maisons insalubres des *slums*. Ces photos éveillent la conscience des Américains et suscitent un changement dans la législature sur le travail des enfants. C'est la première fois que la photographie devient une arme dans la lutte pour l'amélioration des conditions de vie des couches pauvres de la société.

Roy Stryker réunit au début des années trente une équipe de photographes sous les auspices de la *Farm Security Administration* qui faisait partie du *New Deal* de Roosevelt. Il l'envoie dans les régions rurales les plus frappées par la crise économique.

En 1975, le gouvernement français charge des reporters photographes de visualiser les graves problèmes de la population de la banlieue parisienne.

Tous ces photographes sont des professionnels, tandis que Jacob A. Riis et Lewis W. Hine sont des amateurs qui utilisent la photo pour donner plus de crédibilité à leurs articles, mais à partir du moment où la photo est fréquemment utilisée dans la presse paraissent les premiers reporters photographes professionnels. Ils acquièrent bientôt une réputation déplorable. Pour faire des photos à l'intérieur, ils se servent de magnésium en poudre. Il produit une lumière aveuglante, répand en même temps un nuage de fumée acide et une odeur nauséabonde. Les appareils photographiques étaient encore extrêmement lourds à cette époque. Les photographes étaient choisis plutôt pour leur force physique que pour leur talent. Surpris par la lumière subite et aveuglante, les sujets avaient souvent la bouche ouverte ou clignaient de l'œil et apparaissaient dans des poses désavantageuses. Le but de ces photographes était avant tout de *réussir une photo*, ce qui voulait dire à l'époque que l'image devait être nette et utilisable pour la reproduction. L'aspect de la personne portraiturée préoccupait beaucoup moins photographes et rédacteurs. Les gens du monde et de la politique qui furent leurs premières victimes prenaient vite en grippe ces photographes et les méprisaient. Les journalistes, chargés de faire l'article, avaient des difficultés à les faire admettre. Aucune de ces photos n'était signée par leurs auteurs et le statut du photographe de presse fut considéré pendant presque un demi-siècle comme inférieur, comparable à celui d'un simple serviteur auquel on donne des ordres, mais qui n'a aucune initiative. Il fallait une tout autre race de reporters photographes pour donner à cette profession du prestige. Mais même de nos jours, ce métier est encore mal considéré par beaucoup de gens et ses représentants traités avec un certain dédain et avec méfiance. Comme aux premiers jours de son invention, la photographie attire de nombreuses personnes sans culture qui croient avoir trouvé dans ce métier facile à apprendre, un moyen de gagner leur vie et que rien n'a préparées à l'exercer. A ces dernières s'ajoute une nouvelle race de reporters, née en Italie dans les années cinquante, les *paparazzi*. Leurs exploits ne font que déprécier encore plus le métier. Nous en reparlerons.

Naissance du photojournalisme en Allemagne

La tâche des premiers reporters photographes de l'image était de faire des photos isolées pour illustrer une histoire. Ce n'est qu'à partir du moment où l'image devient elle-même l'histoire qui raconte un événement dans une succession de photos, accompagnée d'un texte souvent réduit aux légendes seules, que débute le photojournalisme.

Le début de l'histoire du portrait photographique eut lieu en France avant de se répandre dans le monde entier. L'histoire du photojournalisme, en revanche, prit son essor en Allemagne. C'est là qu'œuvrent les premiers grands reporters photographes dignes de ce nom, qui donnèrent au métier son prestige.

Après la première guerre mondiale, perdue par l'Allemagne, celle-ci traverse une grave crise politique et économique. La monarchie du kaiser est remplacée par la première république, proclamée à Weimar en novembre 1918. La majorité du peuple allemand auquel on a inculqué depuis des siècles l'obéissance à l'autorité, ne comprend pas le système pluraliste des partis sur lequel une démocratie républicaine est fondée. Ils considèrent ce système comme un signe de faiblesse qui nuit à l'autorité du gouvernement. Les sociaux-démocrates qui dirigent la nouvelle république sont accusés dès le début de trahir le pays, parce que c'est eux qui doivent signer le traité de Versailles. La jeune démocratie est faible car ses chefs sont divisés. L'aile gauche du parti social-démocrate a fait scission et fonde le « Spartakusbund » qui fomente une révolution à Berlin. Le gouvernement l'étouffe avec l'aide de la Reichswehr, qui n'est autre que la vieille armée du kaiser, commandée par des officiers réactionnaires. Les chefs du

Naissance de la photographie candide.
(Erich Salomon, conférence de La Haye, 1930, 1 h du matin.)

Spartacus, Karl Liebknecht et Rosa Luxemburg sont lâchement
assassinés. L'alliance avec l'armée, hostile aux socialistes, est une
erreur fatale du gouvernement et précipitera plus tard sa chute.
En 1920, l'armée refuse de combattre un putsch de droite à Berlin ;
le gouvernement en vient à bout avec difficulté. Hitler et le général
Ludendorff fomentent un putsch à Munich en 1923. Hitler est
arrêté et condamné à plusieurs années de forteresse, gracié quelques mois plus tard. Il utilise ce temps pour écrire son livre *Mein
Kampf*, qui deviendra la bible des Allemands. La situation économique est désastreuse. Le traité de Versailles exige des réparations
d'une telle ampleur que l'Allemagne ne peut les honorer. En 1923,
les troupes françaises ont occupé la Rhénanie où se trouve l'industrie lourde, avec l'intention de démanteler les usines. C'est
la ruine financière et l'inflation ; on apprécie bientôt les prix par
billions. Il n'est pas inhabituel à cette époque de rencontrer des
gens dans les rues, une petite valise à la main pour garder les nombreux billets de banque qui ne trouvent plus de place dans un
porte-monnaie ordinaire [119]. En 1923, le mark est dévalué. Un
billion de reichsmark équivaut à un rentenmark. Le grand
capital et les propriétaires fonciers sont moins touchés par cette
mesure que la moyenne et la petite bourgeoisies. Pour celles-ci
la dévaluation signifie la ruine. Dix ans plus tard ce sont ces
classes qui voteront en masse pour Hitler. Grâce à la politique
habile du ministre des Affaires étrangères, Gustav Stresemann,
l'Allemagne est finalement acceptée au sein de la Société des
Nations et dans des conférences internationales le montant des
réparations est révisé.

  La République de Weimar se maintient à peine quinze ans.
Mais l'esprit libéral qui s'installe en Allemagne pendant cette
courte période, permet une floraison extraordinaire des arts et
des lettres. Dans les années vingt, toute une pléiade de grands
écrivains s'impose en Allemagne. *La Montagne magique* de
Thomas Mann paraît en 1924. Franz Kafka, l'écrivain le plus
important de langue allemande de cette époque, meurt la même
année à Berlin. Un an plus tard on publie son œuvre posthume,
le roman inachevé *le Procès*, dans lequel le régime de terreur des
années trente est déjà décrit prophétiquement. Les musiciens
nouveaux sont Alban Berg et Paul Hindemith ; les chefs d'or-
chestre les plus célèbres Wilhelm Furtwängler et Bruno Walter.

Einstein reçoit le prix Nobel en 1921. Les recherches psychanalytiques de Freud et sa thérapie deviennent mondialement célèbres. Parmi les peintres, Franz Marc, Kandinsky, Paul Klee, Emil Nolde, Käthe Kollwitz et George Grosz dominent les nouvelles tendances dans l'art. Kurt Schwitters et Richard Huelsenbeck sont les représentants les plus notables de Dada en Allemagne. En 1919, l'architecte Walter Gropius fonde le *Bauhaus* dont l'influence grandit d'année en année et dépasse les frontières allemandes. Laszlo Moholy Nagy qui deviendra un des enseignants du Bauhaus aura une influence décisive sur la photographie. Nous en reparlerons plus tard. Berlin, capitale de la jeune république, s'affirme comme le centre des mouvements artistiques et intellectuels. Son théâtre est rendu célèbre par les metteurs en scène Max Reinhardt et Erwin Piscator, les pièces de Bertolt Brecht, d'Ernst Toller et de Karl Zuckmayer. Les films muets de la Ufa, dirigés par Fritz Lang, Ernst Lubitsch et autres talents connaissent une réputation universelle. La presse, qui avait été étroitement censurée durant les années de guerre peut prendre un nouvel essor sous la république libérale.

Dans toutes les grandes villes allemandes paraissent des illustrés. Les deux plus importants sont la *Berliner Illustrirte* et la *Münchner Illustrierte Presse*, qui tirent chacune au moment de leur plus grand succès, à près de deux millions et sont à la portée de tout le monde car l'exemplaire ne coûte que 25 pfennigs. C'est le début de l'âge d'or du journalisme photographique et de sa formule moderne. Les dessins y disparaissent de plus en plus pour faire place aux photographies qui reflètent l'actualité.

Les photographes qui travaillent pour cette presse n'ont plus rien de commun avec ceux de la génération précédente. Ce sont des *gentlemen* qui dans leur éducation, leur façon de s'habiller et de se comporter, ne se distinguent pas de ceux qu'ils doivent photographier. Quand il s'agit de faire des photos à une soirée de l'Opéra, durant un bal célèbre comme celui de la presse, ou toute autre manifestation où l'habit est de rigueur, eux aussi paraissent en habit [120]. Ils ont de bonnes manières, parlent des langues étrangères et ne se distinguent plus des autres hôtes. Le photographe n'appartient plus à la classe des employés subalternes, mais est sorti lui-même de la société bourgeoise ou de l'aristocratie qui a perdu fortune et position politique, mais qui garde son statut social.

Le plus célèbre parmi ces photographes est le Docteur Erich Salomon. Comme l'indique son titre, il a reçu une éducation classique. Salomon tient à être appelé « Herr Doktor », car il connaît la psychologie de ses concitoyens.

Né à Berlin en 1886, il est issu d'un milieu aisé de banquiers. son activité de photographe se déroule en cinq années : 1928-1933. Le grand nombre de photographies qu'il a réalisées et les sujets multiples qu'il a couverts dans ce temps limité, témoignent de son énergie inlassable et de son grand talent. Salomon fit des études de droit, puis fut mobilisé en 1914. Pendant plusieurs années il fut prisonnier des Français. Il revint à Berlin en 1918. La situation économique d'après-guerre n'était pas propice pour s'établir comme avocat. Sa famille, comme tant d'autres des classes moyennes a perdu une grande partie de sa fortune. Il essaya de gagner sa vie dans les affaires, puis entra dans le département de publicité de la maison Ullstein. Une de ses tâches consistait à surveiller que les contrats, établis par des paysans qui louaient les murs de leur maison pour des affiches publicitaires, soient honorés. Il en résultait plusieurs procès et Salomon se faisait prêter un appareil photographique pour faire des photos qui devaient servir comme témoignage devant les tribunaux. C'était la première fois de sa vie qu'il se servait d'une caméra.

Comment l'idée lui est-elle venue de devenir un professionnel de la photographie ? Il raconte ainsi ses débuts : « Un dimanche, j'étais assis à la terrasse d'un restaurant sur les bords de la Sprée, quand éclata une violente tempête. Quelques minutes plus tard arriva un vendeur de journaux qui raconta que le cyclone avait renversé des arbres et qu'une femme avait été tuée. J'ai pris alors un taxi et alertai un photographe. Ensuite je proposai ces documents exclusifs à la maison Ullstein. On m'en donna 100 marks. Je remis 90 marks au photographe et me dis alors qu'il aurait mieux valu que je fasse les photos moi-même. Le lendemain je me suis acheté un appareil [121]. »

Depuis 1925 paraissent dans les journaux des annonces qui vantent un nouvel appareil photographique :

PHOTOGRAPHIES DE NUIT ET D'INTÉRIEUR SANS FLASH
Vous pouvez faire des photos au théâtre durant la représentation – expositions de courte durée ou instantanés. Avec la caméra ERMANOX, petite, facile à manier et peu visible [122].

L'annonce est illustrée d'une photographie de nuit de la ville de Dresde.

Un appareil de ce genre était une grande nouveauté. L'Ermanox était petit et léger et muni d'un objectif F : 2 d'une luminosité exceptionnelle pour l'époque. Mais pour réussir des photos prises à l'intérieur, on devait encore avoir recours à des plaques de verre puisqu'elles étaient beaucoup plus sensibles que les films existants et à un pied. Pour obtenir un résultat satisfaisant, il fallait en plus pousser le développement des plaques dans des bains spéciaux. La profondeur de champ était tellement limitée qu'il fallait mesurer les distances à un centimètre près. Mais malgré toutes ces difficultés, des photographies sans flash étaient devenues possibles. Salomon sera le premier qui tentera l'expérience de photographier des gens à l'intérieur sans qu'ils s'en rendent compte. Ces images seront vivantes parce qu'elles ne sont pas posées. Ce sera le début du photojournalisme moderne. Ce ne sera plus la netteté d'une image qui lui donnera de la valeur, mais son sujet et l'émotion qu'elle suscitera.

Pour passer inaperçu le photographe ne doit être ni vu ni entendu. Il se dispensera donc d'un flash, ce qui est maintenant possible. Mais Salomon se rend compte que le déclencheur est beaucoup trop bruyant et que son déclic trahira immédiatement la présence du photographe, aussi utilise-t-il un déclencheur spécial qui opère sans bruit. La publicité de l'Ermanox prétendait qu'on pouvait faire des photos à l'intérieur, mais pour réussir il fallait encore exposer les plaques entre une demie et une seconde. Un trépied était donc indispensable, ce qui était encombrant et difficile à cacher. D'autre part, pour vendre des photos à la presse, il faut qu'elles soient uniques et d'une grande actualité. Vers 1928, il était strictement interdit en Allemagne de faire des photos dans les tribunaux, mais la première image que Salomon publie le 19 février 1928 dans la *Berliner Illustrirte* est justement prise dans un tribunal. Elle paraît avec la légende suivante : « Un cas criminel qui a beaucoup fait parler de lui ces derniers temps. Le lycéen Krantz devant ses juges. » La photographie est presque floue, mais c'est l'unique photo prise de ce procès sur lequel paraissent d'innombrables articles dans la presse qui utilise cette affaire pour attaquer le système d'éducation et pour stigmatiser la jeunesse d'après-guerre. Le lendemain d'une surprise-party à laquelle avaient pris part trois garçons de moins de vingt ans et une jeune fille de seize ans, on avait découvert les cadavres de deux des garçons. On avait appris que l'un de ces jeunes gens trouvés morts avait eu des relations intimes avec la fille. On accusait le survivant, un lycéen de 17 ans, d'avoir assassiné par jalousie. Il fut acquitté [123]. Des années plus tard, il fut connu dans le monde des lettres par ses romans qu'il publia sous le pseudonyme de Ernst Erich Noth.

Cette photo « unique » rapporta à Salomon autant d'argent que son salaire mensuel chez Ullstein. Il abandonne dès lors sa place pour se consacrer uniquement à la photographie. Lors d'un autre procès, l'affaire d'un meurtrier, il cache sa caméra dans une boîte et le trépied dans une écharpe. Quatre de ses photos paraissent dans le même illustré et font sensation.

A partir de ce moment il fera des photos partout où il se passe quelque chose. Il devient le photographe attitré des grandes conférences internationales. Il assiste à des séances du Reichstag, photographie toutes les personnalités importantes de la politique et des arts. Il se faufile partout. Lors de la signature du pacte Kellogg à La Haye, il note : « J'étais assis à la place réservée à un ministre polonais qui n'était pas venu. » Il comprend vite qu'il est plus difficile d'être expulsé d'un lieu que d'y être admis. Pour être un bon reporter photographe, il faut avoir une patience infinie. Lors d'une séance de nuit des ministres allemands et français, à la deuxième conférence de La Haye, il fait des photos à onze heures du soir et d'autres de la même séance à une heure du matin, quand certains des participants sont en train de dormir. Il ne manquait pas d'humour et ces photos eurent un énorme succès. Il photographie Lloyd George et Chamberlain dans leurs bureaux de Londres, il fait les premières photos de la High Court of Justice en Angleterre. Il ne dédaigne pas le public, et quelques-unes de ces images ressemblent aux caricatures de Daumier. Il photographie tout ce qui a un nom dans les arts : Richard Strauss, Toscanini, Casals... En Amérique il prend des photos de Randolph Hearst, le roi des journaux américains dans son château en Californie. Puis, de nouveau à Berlin, il photographie Einstein ou des hommes de lettres comme Thomas Mann. En 1931, à peine trois années après ses débuts, il publie un album de 102 photographies sous le titre : *Contemporains célèbres photographiés à des moments inattendus* [124]. Dans une longue préface il explique ses idées et sa méthode, valables aujourd'hui encore pour un reporter photographe, sauf pour certains problèmes techniques résolus depuis lors.

« L'activité d'un photographe de presse qui veut être plus qu'un artisan, est une lutte continuelle pour son image. Comme le chasseur est obsédé par sa passion de chasser, ainsi le photographe est obsédé par la photo *unique* qu'il veut obtenir. C'est une bataille continuelle. Il faut se battre contre les préjugés qui existent à cause des photographes qui travaillent encore avec des flashes, se battre contre l'administration, les employés, la police, les gardiens ; contre la mauvaise lumière et les grandes difficultés qui existent à faire des photos des gens qui sont en mouvement. Il faut les saisir au moment précis où ils ne bougent pas. Puis il faut se battre contre le temps, car chaque journal a un *deadline* qu'il faut devancer. Avant tout, un reporter photographe doit avoir une patience infinie, ne jamais s'énerver ; il doit être au courant des événements et savoir à temps où ils se déroulent. Si nécessaire, il faut se servir de toutes sortes d'astuces, même si elles ne réussissent pas toujours. »

Il raconte : « Quand j'arrivai en été 1929 à la première conférence de La Haye, j'appris que les ministres Henderson, Stresemann, Briand et Wirth et le ministre des Affaires étrangères belges Hymans se rencontraient chaque après-midi à quatre heures sur le balcon du Grand-Hôtel Scheveningen. Comme je ne pus obtenir la permission de faire des photos de ce balcon de l'intérieur, il ne me restait plus qu'à photographier ces entretiens de l'extérieur. Le balcon se trouvait à seize mètres au-dessus d'un garage, puis venaient la plage et la mer. Pas de maison en face. Je décidai de louer une échelle à incendie sur roues, haute de dix-neuf mètres. Je me fis prêter par les quatre hommes qui l'accompagnaient une blouse blanche, un seau et un pinceau, pour faire croire à la police hollandaise qu'il s'agissait de repeindre une publicité. Mon intention était de me faire hisser sur l'échelle et de faire, à une distance de 12 mètres et à toute vitesse, une photo des diplomates sur ce balcon historique. A ma grande déception, le chef de l'équipage me déclara qu'il fallait d'abord monter l'échelle et la fixer avec des cordes avant que je puisse l'escalader. Quand elle fut enfin en place, la pente en était si raide que je serais tombé si j'avais dû utiliser mes deux mains pour faire la photo. Je dus donc faire incliner l'échelle, mais ceci paraissait si dangereux que Henderson le remarqua à travers la fenêtre. Juste quand j'étais en train de monter, parut le chef de la presse anglaise, accompagné d'un agent secret, et ils me demandèrent catégoriquement d'enlever immédiatement l'échelle. Pour éviter un scandale, je dus consentir. Il ne me restait plus qu'à photographier l'échelle [125]. »

Quand aucune astuce ne lui vient en aide pour pénétrer dans une salle de conférence, il photographie l'antichambre, faisant des images amusantes de chapeaux et de parapluies, ou d'un huissier endormi. Il surprend encore les «Six Grands» de l'époque: Briand, lord Cushendun, Hermann Muller, Scialoja, Hymans et von Schubert, prenant ensemble leur petit déjeuner à l'hôtel Beaurivage à Genève. La photo paraît en septembre 1929 dans la *Berliner Illustrirte* sous le titre : « Un document unique! ». Pour l'époque c'était en effet nouveau de photographier les grands, ou ceux qu'on tient pour tels, dans leur vie privée.

Aristide Briand surnomme Salomon « le Docteur Méphistophélès » à cause des deux touffes de cheveux déjà grisonnants qui décorent son crâne. Toutes ses photographies sont signées. Il est célèbre. Le photographe n'est plus une personne anonyme, mais lui-même une sorte de star. Les illustrés d'Allemagne et d'Europe s'arrachent ses photos et les payent cher.

Publier des photos dites « secrètes » devient une des attractions de la presse illustrée. Mais quand il est vraiment impossible de les faire, on publie des photos « ultra-secrètes » qui ont été soigneusement posées. Sous le titre « Les premières photographies jamais faites dans les salles de jeu du Casino de Monte-Carlo », Salomon publie en avril 1929 une série d'images dont chacune avait été posée. La direction du Casino ne voulait en aucun cas permettre de photographier des célébrités qui jouaient, mais elle permit à ses employés de poser au moment où les salles de jeu étaient encore fermées. L'adresse de Salomon consistait à donner à ses photos tant de vie qu'elles paraissaient prises sur le vif. Le public ne pouvait pas distinguer entre le vrai et le faux, et l'attraction de l'illustré consistait à imprimer des photos sensationnelles. On les fabriquait si nécessaire.

Le rédacteur en chef de la *Berliner Illustrirte* qui appartient au groupe de journaux de la maison Ullstein, était Kurt Korff. Il avait commencé sa carrière comme garçon de courses et devait son ascension à sa mémoire infaillible et à son instinct de journaliste. Un jour, un des frères Ullstein lui demanda de lui rapporter d'urgence tous les faits concernant un désastre maritime, mais Korff put lui citer sur-le-champ tous les détails avec chiffres et les mesures exactes du bateau qui avait sombré. Ullstein en fut tellement frappé qu'il lui facilita l'ascension rapide dans sa maison d'édition.

Stefan Lorant, d'abord directeur du bureau berlinois de la *Münchner Illustrierte Presse*, devint en 1930 son rédacteur en chef. Kurt Korff avait inventé la photo « ultra-secrète » et « unique », même si l'on devait avoir recours quelquefois à des astuces qui ne correspondaient pas toujours à la vérité. Stefan Lorant refusa catégoriquement toutes les photos posées. Jusqu'alors, la presse illustrée reproduisait des photos isolées. L'idée nouvelle de Lorant est d'encourager des reportages, c'est-à-dire de faire raconter une histoire par une succession d'images. Autour d'une image centrale, résumant tous les éléments de l'histoire, sont groupées un certain nombre de photos qui la racontent en détail. Le « photoreportage » doit avoir un commencement et une fin, définis par le lieu, le temps et l'action, comme au théâtre. Seulement au théâtre, c'est la rampe qui rend le spectateur conscient qu'il se trouve en face d'une réalité fictive, tandis que le lecteur qui se penche au-dessus des images d'une revue photographique n'en est séparé par rien. Il peut s'identifier facilement avec les personnages qui se trouvent devant lui. Sous l'influence de Lorant, les photographes commencent à faire des séries de photos sur un seul sujet qui remplissaient plusieurs pages de l'illustré. Il conçut, le premier, l'idée que le public ne veut pas être informé seulement sur les faits et gestes des grandes personnalités, mais que l'homme de la rue s'intéresse à des sujets qui ont trait à sa propre vie. Cette idée fera quelques années plus tard le grand succès du magazine *Life*. Dorénavant, ce ne seront plus seulement les grands du jour, les acteurs célèbres ou d'autres personnalités de la vie publique qu'on verra dans l'illustré, mais on verra aussi des sujets qui ont trait à la vie de tous les jours des masses populaires. Le journal illustré devient un symbole de l'esprit libéral de l'époque.

Autour du Dr Erich Salomon qui a déjà 44 ans en 1930, se forme tout un groupe de jeunes photographes. Ils restent des *free-lance*, c'est-à-dire des photographes indépendants qui gardent l'initiative de leurs sujets. Chacune de leurs photos est signée, ce qui montre l'importance qu'on donne dorénavant à l'individualité du photographe. Comme Salomon, ils ne sont pas seulement photographes, ils rédigent leurs textes et légendes [126]. Ils sont pour la plupart issus de la bourgeoisie et ont fait des études. Ils se sont tournés vers ce métier à cause des difficultés économiques et du chômage qui atteint l'Allemagne de l'après-guerre. Certains de ces photographes font partie de l'agence Dephot [127] (Deutscher Photodienst) qui travaille en relation étroite avec les illustrés et surtout avec Stefan Lorant. L'agence est une ruche de talents. Presque tous ces photographes deviendront plus tard célèbres.

Un des reporters photographes qui appartient à l'agence Dephot est Hans Baumann. Né en 1893 à Fribourg en Brisgau, fils d'un banquier, il a commencé des études d'art. Mobilisé en 1914, il se trouve à la fin de la guerre devant le même dilemme que tant d'autres jeunes gens dont les familles perdent leur fortune dans l'inflation. Il doit abandonner ses études pour gagner sa vie. En 1926, il devient dessinateur du journal berlinois *B.Z. am Mittag*. Il se spécialise dans les dessins des grands événements sportifs et il se sert souvent de photographies. Il décide de devenir photographe lui-même quand son journal commence, comme les autres, à donner de plus en plus d'importance aux photos. Enfant il se passionnait déjà pour la photographie; son père lui avait donné un appareil quand il n'avait que 10 ans [128]. Grâce à l'agence Dephot, il rencontre Stefan Lorant et en 1929 commence à travailler pour la *Münchner Illustrierte Presse* et la *Berliner Illustrirte* sous le pseudonyme de Felix H. Man, pour distinguer son nouveau métier de son ancienne profession de dessinateur. La même année il fait le premier reportage de nuit sous le titre : « Entre minuit et l'aurore sur le Kurfürstendamm », l'artère principale de Berlin. L'illustré de Munich lui garantit un minimum de 1 000 marks par mois [129], sous condition qu'il lui propose ses reportages d'abord. Cette somme est extrêmement élevée pour l'époque quand on considère que le salaire d'un fonctionnaire moyen se situait autour de 500 marks. Entre

1929 et 1933, il fait près de 80 reportages. Il photographie les piscines populaires, les ouvriers d'usine, des scènes de restaurant, des combats de boxe, le Lunapark et tant d'autres sujets qui touchent la grande foule qui reconnaît dans ces images sa propre vie, ses préoccupations et ses plaisirs. Il est un des premiers reporters photographes qui réalisera, en collaboration étroite avec Stefan Lorant, la formule moderne du reportage [130]. Au début des années trente, Man part à Rome pour faire un reportage sur Mussolini*. Jusqu'alors, on n'avait vu de lui que des photos * p. 126 dans des poses grandiloquentes. Man reste avec le Duce toute une journée, de sept heures du matin jusqu'à dix heures du soir, et fait un reportage qui inspirera toute une génération pour le naturel des images prises sur le vif. Man se souvient et dit : « Le bureau de Mussolini était immense, plein de colonnes de marbre et de piliers comme l'entrée d'un musée. Il traitait ses ministres plutôt désagréablement et avec la plus grande désinvolture. L'un d'eux lui apporta un courrier volumineux; certaines lettres étaient marquées « important ». Mussolini regarda les enveloppes. S'il les trouvait intéressantes, il lisait les lettres, s'il pensait le contraire, il jetait les lettres en l'air et le ministre devait les attraper [131]. » Le reportage fit sensation et rapporta à Man 3 000 marks.

Quand on feuillette les illustrés allemands de la fin des années vingt, on tombe sur des noms aujourd'hui célèbres, tels que Moholy-Nagy, du Bauhaus, Alfred Eisenstaedt, à cette époque photographe principal de l'Associated Press à Berlin, André Kertesz, Martin Muncaszi, Germaine Krull et d'autres encore, aujourd'hui moins connus, comme Wolfgang Weber, Umbo, ancien élève du Bauhaus, Marian Schwabik, les frères Gidal, et des noms comme Helmut Muller von Stwolinski, von Blücher, Freiherr von Bechmann qui trahissent leur origine aristocratique. Chacun avait sa spécialité dans le reportage : sports, théâtre, événements politiques, etc.

En 1929, la plupart de ces reporters photographes se servent encore d'un Ermanox, mais au début des années trente, Salomon, Man et d'autres commencent à utiliser le Leica. C'est l'invention de cette nouvelle caméra qui ouvrira vraiment la voie du photojournalisme moderne.

Le Leica fut inventé par Oskar Barnack, spécialiste des méca-

nismes de précision [132]. Il est né en 1879 et dès sa jeunesse se
passionne pour la photographie. Barnack aimait faire de longues
promenades à pied. Chaque fois, il emporte un appareil du
format 13 × 18. Mais il est lourd et les doubles cassettes en bois
pèsent encore plus. Il lui faut en outre se charger d'un trépied;
peu robuste il rêve d'un appareil qu'on puisse mettre dans la
poche. Durant les longues années où il travaille dans l'industrie
optique à Iéna, il est obsédé par cette idée. Mais c'est seulement
quand, en 1911, il devient directeur du laboratoire de recherches
des usines Leitz à Wetzlar qui fabrique des microscopes et des
longues vues, qu'il a enfin la possibilité de réaliser son rêve. Il
construit un appareil photo de petit format pour lequel il utilise
la pellicule du cinématographe récemment inventé, la surface
du négatif photo étant le double de celle du film cinéma. C'est
le format 24 × 36 mm. Pour que la firme Leitz puisse commencer
à construire systématiquement ce nouvel appareil, il faudra
encore des années de recherches. Il est présenté pour la première
fois au public en 1925 sous le nom de Leica à la foire industrielle
de Leipzig où il fait sensation. L'appareil est muni d'un objectif 1 :
3,5 / 50 mm, mais en 1930, il se vend déjà avec plusieurs objectifs
interchangeables ce qui élargit considérablement ses possibilités.
Le film utilisé permet d'exposer 36 vues sans le recharger. C'est
une révolution dans le travail du professionnel.

La plupart des rédacteurs de la presse illustrée, habitués à
demander aux opérateurs des photographies isolées, ne leur
permettent pas de se servir du Leica. Entre-temps la technique
des flashes avait été améliorée et les appareils de grand format
permettaient de tirer des copies directes. Même un magazine
comme *Life*, fondé en 1936, ne voulait pas, à ses débuts, que
ses photographes se servissent du Leica. Thomas Mc Avoy,
qui faisait partie de l'équipe des premiers photographes engagés
par *Life*, m'a raconté les difficultés qu'il rencontra pour l'imposer : « J'avais rapporté un Leica lors d'un voyage en Europe,
mais le rédacteur en chef le considérait comme un jouet peu
sérieux à cause de son petit format et me défendit de m'en servir. Lors d'une réception officielle à Washington, je passai outre,
et sous les yeux ahuris de mes collègues qui opéraient avec de
grands appareils et munis de flashes, je fis toute une série de photos. En comparant mes clichés avec ceux des autres, la direction

admit que mes photos avaient beaucoup plus d'atmosphère et étaient plus vivantes, puisque je ne m'étais pas servi de flashes et que j'avais photographié les gens sans qu'ils s'en rendissent compte. A partir de ce moment-là, le Leica fut apprécié et tous les photographes suivirent mon exemple [133]. »

Je fis une expérience similaire. En 1937, Julien Cain, alors directeur de la Bibliothèque Nationale, me demandait de photographier toutes les bibliothèques de Paris, (ma première commande officielle), pour l'exposition universelle de 1937. Quand je me présentai à la Nationale, le conservateur des imprimés me déclara en apercevant le petit Leica : « Ce n'est pas sérieux, revenez avec un vrai appareil professionnel. » Il me mit dehors. J'eus une idée. Je me rendis au marché aux puces et achetai pour une cinquantaine de francs un vieux modèle en bois de format 18 × 24. Cette fois, le conservateur fut satisfait et l'appareil fut placé sur un trépied encombrant. La tête enfouie sous une grosse écharpe noire je faisais semblant de faire le réglage. L'appareil n'avait même pas de plaques. Après le départ de l'autorité, je fis tranquillement toute une série d'images avec mon Leica, photographiant les vieux rats de bibliothèques penchés sur des livres. Comme je n'utilisais pas de flashes, je passai inaperçue. Un vieux monsieur distingué aux longues moustaches blanches, endormi sur ses livres et qui ronflait doucement, fut ma première victime. Un moine en robe de bure, penché sur de vieux in-folios, la seconde ; d'autres suivirent. Une grande partie de mes photos furent utilisées pour le pavillon de la littérature, à l'exposition universelle. Le reportage sur la Bibliothèque Nationale parût dans le magazine *Vu* dans son numéro 463 du 27 janvier 1937 sous le titre : « Un grand reportage de *Vu* à la Bibliothèque Nationale, la première usine intellectuelle du monde. »

La conquête du marché par le Leica se reflète dans les chiffres de sa production. En 1927, la firme avait sorti 1 000 appareils, un an après 10 000. En 1931, ce chiffre monte à 50 000 appareils et deux ans plus tard à 100 000. Aujourd'hui sa production dépasse largement le million. Le Leica constamment amélioré, rend le nom de la firme Leitz célèbre dans le monde entier. Mais l'appareil est imité un peu partout. Depuis la dernière guerre, ce sont surtout les firmes japonaises qui lui font une concurrence acharnée.

La firme Leitz, fondée à Wetzlar en Allemagne en 1849, est une entreprise familiale. En 1972, c'est déjà la quatrième génération qui est à la direction des usines, produisant plus de 6 000 objets de mécanismes de haute précision, composés de 70 000 pièces différentes. Les techniciens sont hautement spécialisés et les salaires élevés. La fabrication du boîtier du Leica, comprenant plus de 700 pièces à lui seul, n'était plus rentable. Son prix de vente ne dépassait pas le prix de sa fabrication. En 1972, la firme Leitz s'associe avec le groupe Minolta. Grâce aux bas salaires payés en Asie et à la mécanisation de la production, on fabriquera des boîtiers moins chers au Japon. Leitz a également conclu un accord avec la firme Advanced Metals Research de Burlington aux États-Unis, et dans le domaine de la microscopie électronique elle a signé un traité de coopération et de copropriété avec la firme suisse Wild/Heerbrugg. Deux ans plus tard en 1974, Ernst Leitz et sa sœur Elsie Kühn-Leitz, propriétaires de la firme, sont obligés de céder 51 % des actions à la firme suisse qui, elle, fait partie d'un trust puissant, Schmidheini, perdant ainsi le contrôle de l'entreprise [134]. Aujourd'hui les entreprises familiales, si puissantes soient-elles, sont vouées à l'échec si elles ne font pas partie de trusts, fondés sur l'interpénétration des capitaux internationaux.

Le nouvel esprit démocratique qui s'est manifesté dans la presse illustrée allemande, va prendre fin brutalement avec l'avènement de Hitler. L'Allemagne a commencé à peine de se rétablir quand éclate la crise économique aux États-Unis. Le krach à la bourse de New York, ce fameux vendredi noir d'octobre 1929, a des conséquences graves à cause des nombreux capitaux américains investis en Allemagne. Dans les années qui suivent, le chômage augmente dramatiquement de sorte qu'en 1932 on compte près de six millions de chômeurs. Leur misère est un des facteurs décisifs de l'accès de Hitler au pouvoir. Avec les difficultés de la vie économique, la vie politique se radicalise. Maintenant les partis, particulièrement les nazis et les communistes, se parent d'organisations paramilitaires. Le chancelier Brüning ne gouverne que par décrets d'exception et se dispense pratiquement du Parlement qui n'a plus aucun pouvoir. Le 30 janvier 1933, Hindenburg, président du Reich, charge Hitler, devenu Reichskanzler, de former un nouveau gouvernement.

La S.A. brûle publiquement à Berlin les livres des écrivains les plus connus. L'Allemagne va s'enfoncer dans la nuit et le brouillard. Des milliers de personnes, l'élite intellectuelle et artistique, vont s'exiler. Ceux qui n'arrivent pas à se sauver à temps seront enfermés dans des camps de concentration. La presse est muselée et étroitement contrôlée. Tous ceux qui sont soupçonnés de ne pas admettre les idées du Troisième Reich sont congédiés avec ceux qui ne peuvent prouver qu'ils sont de pur sang aryen. Les rédacteurs des grands illustrés sont remplacés. Kurt Korff s'enfuit en Autriche et se rend plus tard en Amérique, Stefan Lorant est mis en prison et ne doit sa liberté, quelques mois plus tard, qu'au fait qu'il peut prouver son origine hongroise. Il s'enfuit en Angleterre où il fondera l'hebdomadaire *Weekly Illustrated* et *Liliput*, un mensuel de format de poche. En 1938 il éditera *Picture Post*. Toutes ces publications connaîtront un énorme succès. Le Docteur Erich Salomon fuit avec sa femme et ses deux fils en Hollande où il a des parents. Étant juif, il sera exterminé avec un de ses fils dix ans plus tard. Presque tous les membres de l'agence Dephot s'en vont. Felix H. Man, qui se trouve au moment de l'avènement de Hitler à l'étranger et qui est un démocrate convaincu, décide de ne plus retourner en Allemagne. Il deviendra, avec Kurt Hubschmann qui change son nom en Hutton, le collaborateur de Lorant en Angleterre. Ina Bandy travaillera pour la revue *Vu* à Paris. Alfred Eistenstaedt et Fritz Goro s'installent en Amérique où ils feront partie du groupe des photographes de *Life*. Andrei Friedmann, qui avait débuté comme photographe à l'âge de 17 ans à l'agence Dephot, vient en France où il prendra le pseudonyme de Capa sous lequel il deviendra bientôt célèbre. Il fondera en 1947 l'agence Magnum [135]. Tous ceux qui avaient créé le photojournalisme moderne en Allemagne vont répandre leurs idées à l'étranger et exercer une influence décisive sur la transformation de la presse illustrée en France, en Angleterre et aux États-Unis.

Les rédacteurs des illustrés allemands sont maintenant choisis selon le seul critère de leur fidélité au Troisième Reich. Ils ne peuvent publier que les photographies qui leur sont envoyées par les organismes officiels. L'homme tout-puissant de la presse illustrée des nazis est Heinrich Hoffmann. Il est né en 1885 à

Furth près de Darmstadt où sa famille tient un commerce de photographies. En 1908, à l'âge de 23 ans, il s'établit à son compte à Munich comme photographe. Au début de 1919 éclate en Bavière un mouvement révolutionnaire qui proclame une république des Soviets. Le mouvement est liquidé dans une bataille sanglante par la Reichswehr. Un des chefs de la révolte est assassiné, d'autres s'enfuient. Pendant quelque temps règne à Munich la guerre civile. Durant ces mois tumultueux Heinrich Hoffmann fait d'innombrables photos qu'il vend aux journaux du monde entier et gagne ainsi beaucoup d'argent. Quand Hitler fonde, vers la fin de 1919, son parti qui, à cette époque, ne se compose que d'une demi-douzaine d'adhérents, le puissant groupe de journaux américains Hearst lui propose 5 000 dollars s'il peut leur procurer des photos de Hitler. Hoffmann n'hésite pas, pour obtenir ces photos, à adhérer au parti nazi. Il deviendra ensuite un des amis les plus intimes de Hitler qui aura en lui une confiance absolue et se fera photographier dans toutes sortes de poses : ainsi peut-il étudier ses mouvements et ses gestes pour retenir * p. 125 les plus avantageux à utiliser durant ses discours*. Quand il prend le pouvoir en 1933, c'est à Hoffmann, compagnon de la première heure, qu'il donne le droit exclusif de publier des photos sur lui. La même année, Hoffmann est nommé membre du Reichstag et en 1938 on lui confère le titre de « Herr Professor ». Hoffmann est avant tout un homme d'affaires et exploite ses droits exclusifs à l'extrême. Il crée une agence et une maison d'édition dont le but est la propagande nazie et s'entoure de tout un état-major de photographes. Eux seuls seront autorisés à faire des photos de Hitler et de tous les événements officiels. Tous les journaux et illustrés doivent passer par lui, de même la presse mondiale. Il gagne une fortune immense, s'achète des propriétés et une collection de peinture. Il marie sa fille au Führer de la jeunesse allemande, Baldur von Schirach.

Quand la guerre éclate, Hoffmann organise à Berlin une centrale photographique à laquelle toutes les photos faites au front doivent être envoyées. C'est lui qui choisira celles qui lui semblent les plus appropriées à la propagande allemande. C'est une vraie usine; il fait faire des contretypes qui seront envoyés à toute la presse qui doit les publier. Mais c'est lui seul qui encaissera les droits de reproduction. Quand les Américains occuperont la Bavière, ses archives seront confisquées, mais l'armée américaine l'emploiera pour reconnaître parmi ses milliers et milliers de photos les criminels de guerre. Alors que la population allemande manquera de nourriture, lui ne manquera jamais de rien. Mais, au moment des procès contre les chefs nazis, il sera arrêté et condamné en 1947 à la peine maximale de dix ans de camp de travail et à la perte de toute sa fortune, comme profiteur caractérisé du Troisième Reich. Le 25 juin 1948, ce jugement sera révisé devant une autre chambre d'accusation et sa peine réduite à trois ans de camp de travail. Ce jugement fut de nouveau cassé pour vice de forme, mais ensuite la chambre d'accusation principale de Munich éleva de nouveau sa peine à cinq ans de camp de travail qui furent reconnus comme accomplis par le temps de sa détention en prison; on lui retira pour une période de dix ans tous les droits de reproduction de ses archives et on lui enleva le titre de Herr Professor. Sa fortune fut confisquée à part 5 000 marks laissés pour l'entretien de sa famille. Enfin une autre chambre d'accusation décida de le rayer de la liste des criminels de guerre; il ne fut considéré que comme un simple exécutant. En 1957, toutes les procédures contre lui sont arrêtées. Il meurt à la fin de cette année-là à l'âge de 72 ans [136]. Sans aucun doute Hoffmann a été un des nazis qui a tiré le plus grand profit matériel du règne hitlérien.

Ses archives avaient été confisquées et une partie transférée en 1947 à la Library of Congress à Washington. Au début des années soixante, son fils et héritier qui s'appelle aussi Heinrich et qui se souvient d'avoir été assis sur les genoux de Hitler quand il avait trois ans, gagne le procès qu'il avait intenté pour récupérer les droits de reproduction de la collection des photographies de son père dont il possède les négatifs originaux, car les agences du monde entier se sont emparées de copies et les vendent à leur profit.

La relève des magazines allemands d'esprit libéral fut d'abord prise par le magazine français *Vu*, fondé en 1928 par Lucien Vogel (1886-1954), éditeur, journaliste, peintre et dessinateur de talent. Il fait ses débuts dans le journalisme en 1906 à la direction artistique du magazine *Fémina*. Quelques années plus tard, il dirige *Art et Décoration*. En 1912, il fonde *la Gazette du bon ton* et crée un autre magazine, *le Jardin des Modes*.

Lucien Vogel avait une forte personnalité et des idées très originales. C'était un homme affable, blond avec des yeux bleus lumineux qui reflétaient un caractère déterminé et une grande générosité. Il imprimait à ses revues de mode son goût raffiné très parisien et ses idées libérales. Dès le premier numéro de *Vu*, il rompt avec la formule classique de la photo isolée, comme la pratiquait *l'Illustration*, un des plus anciens magazines en France. Vogel s'entoure d'excellents collaborateurs, écrivains et journalistes capables, tel Philippe Soupault, qu'il enverra en Allemagne, ou Madeleine Jacob qui avait débuté comme secrétaire de rédaction, puis fut envoyée spéciale en Autriche, ou encore l'Américaine Ida Treat qui va pour *Vu* en Asie. Il emploie les meilleurs photographes de l'époque, parmi eux Germaine Krull, André Kertesz, Laure Albin-Guillot, Muncaszi, Lucien Aigner, Felix H. Man et Capa dont la photo la plus célèbre, représentant un Espagnol républicain en train de tomber foudroyé par une balle, * p. 166 fut publiée dans *Vu* pour la première fois en 1936*.

Le premier numéro paraît le 28 mars 1928. Vogel l'annonce ainsi : « Conçu dans un esprit nouveau et réalisé par des moyens nouveaux, *Vu* apporte en France une formule neuve : le reportage illustré d'informations mondiales... De tous les points où se produira un événement marquant, des photos, des dépêches, des articles parviendront à *Vu* qui reliera ainsi le public au monde entier... et mettra à la portée de *l'œil* (souligné par nous) la vie universelle... des pages bourrées de photographies, traduisant par l'image les événements politiques français et étrangers... des sensationnels reportages illustrés... des récits de voyage, des études sur les causes célèbres... les découvertes les plus récentes, des photos sévèrement sélectionnées... »

Ce premier numéro contient déjà plus de 60 photos. Le prix de vente est de 1,50 F. Dès 1931, Vogel conçoit de grands numéros spéciaux qui représentent des analyses perspicaces et courageuses des événements mondiaux. *Vu au pays des Soviets* paraît en 1931 ainsi que *l'Amérique lutte*, dédié au New Deal de Roosevelt ; *l'Énigme allemande* en avril 1932. Ce numéro se compose de 125 pages et de 438 photographies. Pour la première fois le public français est mis en garde contre le nazisme. Un numéro spécial sur l'Italie : *l'An XI du Fascisme* paraît en 1933 ; *Inter-*

rogatoire de la Chine en mai 1934. Mais le ton et les sujets de
Vu (entre-temps Vogel édite aussi *Lu*, sorte de digest de la presse)
ne plaisent pas beaucoup aux commanditaires suisses. La publicité qui est le soutien matériel d'une revue dans la société capitaliste, est très réduite, car Vogel ne cache pas ses affinités avec
la gauche qui, unie dans le Front populaire, gagne les élections
en 1936. La grande industrie, fournisseur de la publicité, lui
est hostile. Quand paraît, en automne 1936, un numéro spécial
sur la guerre civile en Espagne, vue du côté républicain, la fureur
des commanditaires est à son comble et ils obligent Vogel à
donner sa démission. La revue continue cependant jusqu'en
1938, mais son intérêt baisse et elle perd une grande partie de
sa clientèle.

Quand Lucien Vogel meurt en 1954, foudroyé à sa table de
travail, Henry Luce, qui a fondé en 1936 le magazine *Life* en
Amérique, câble à sa famille : « Sans *Vu*, *Life* n'aurait pas vu
le jour », rendant ainsi un ultime hommage à l'homme qui avait
créé le premier magazine illustré moderne en France, fondé sur
la photographie.

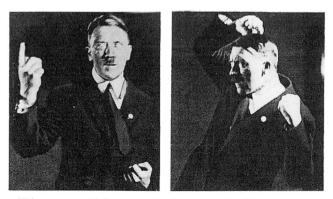

Hitler pose pour Hoffmann pour étudier ses poses les plus avantageuses.

Sogar Mussolini läßt sich an die Arbeit begibt, setzt er sich zuvor im Park der Villa Torlonia, manchmal nimmt er dabei seinen jüngsten Sohn mit, der (dazu zu Ehren) den Namen Romano trägt

MUSSOLINI

SONDERAUFNAHMEN FÜR DIE MÜNCHNER ILLUSTRIERTE VON MAN-DEPHOT
TEXT VON KURT KORNICKER

Dieses Bild
stammt unserem
Pressberichter:
Die Tate des
Palazzo
Venezia, des
Amtsgebäudes
Mussolinis

Ganz ist Fleiß. Dieses Wort gilt nicht nur für den Künstler im engeren Sinne, sondern vielleicht in noch höherem Maße für den Politiker, der die Geschicke seines Volkes modelliert und in dessen Händen sich die Massen-

wedungen der modernen Zeit zu sinnvoller Einheit formen. Mussolini, der Führer des neuen Italien, der Organisator der faschistischen Revolution, ist dafür ein lebendiges Beispiel. Kein politisches System im heutigen Europa ist wohl

je auf ein Augen eines Menschen gestellt, wie
das der faschistischen Diktatur und selbst der, der
niemals Wehrmann hatte, in die geheime Werk-
statt dieses Mannes zu blicken kann sich allein
aus dieser Überlegung heraus eine Vorstellung
machen von der enormen Arbeitslast, die auf
seinen Schultern ruht, und von diesem täglich zu bewältigen Arbeitspensum, das dieser Mann
täglich bewältigt.

Bis auf die großen öffentlichen Manifesta-
tionen und die mehr oder weniger kurzen Audien-
zen haben wenig Außenstehende Gelegenheit ge-
habt, Mussolini bei der Arbeit zu beobachten.
Mussolini hatte die große Liebenswürdigkeit, dem
Vertreter der „Münchner Illustrierten Presse",
und einem Spezialphotographen zu gestatten, ihn
einen Tage zu begleiten und den Ablauf seiner
täglichen Arbeit im Bilde zu halten.

Mussolini führt ein sehr zurückgezogenes, mit
großer Präzision eingeteiltes Leben. Wenn es
das Wetter einigermaßen gestattet, pflegt er
morgens im Park der Villa Torlonia auszureiten,
jener prächtigen Villa draußen vor Porta Pia,
die ihm der Fürst Torlonia als Wohnsitz zur
Verfügung gestellt hat und die eine der aus-
gedehntesten Villenanlagen Roms ist. Wir sahen
Mussolini dort an einem schönen Januarmorgen
nur in Begleitung seines Reitlehrers Rodolfi.
Er empfing uns am Eingang zur Reitbahn in
äußerst liebenswürdiger, ungezwungener Form
und schien an diesem Tage glänzend aufgelegt.
Er stellte uns auch seinen jüngsten Sohn, den
dreijährigen Romano vor, der auf den Schultern
eines alten Dieners huckepack angeritten kam und
den es dann zur hellen Begeisterung des kleinen
vor sich aufs Pferd nahm. Der kleine Romano

Dem Betrachter möchten es eine
empfohlen zu beachten, daß es
das uralte Arbeitszimmer
im Palazzo Venezia Mussolinis Arbeitsstätte dar-
stellen, angelehnt unter dem
Schreibtisch des Duce steht

Eine Karte Italiens und
ein Pult, den Mussolini
als Unterlage bei ver-
schiedenen Kampfverbände erhielt, liegen
auf dem Schreibtisch neben
dem Schreibtisch

Vor der letzten Tür

Mussolinis Leibdiener im Vorzimmer des Duce. In den Vitrinen an den Wänden
sehbare Keramiken aus Orvieto

Aufn. Max-Dephot

QUEEN-MOTHER MARY AND GRANDCHILDREN: PRINCESSES
ELIZABETH AND MARGARET ROSE, PRINCE EDWARD (ON LAP).

Almost inevitably the dark-haired little girl at the left will
some day be Queen Empress Elizabeth. Only two things
can prevent it: a child sired by her uncle, King Edward;
a manchild sired by her father, the Duke of York.

Hard comfort is the Parson's message of courage in despair

Scratching coal out of the earth by hand is one occupation of the two
million people in the South Wales Depressed Area.

This ragged young man with one bare foot and a cold pipe has never
worked. He grew up and graduated directly into the Dole.

The wet desolation of a rainy day in England's Depressed Areas is unforgettable. Cursed towns include
Durham, Jarrow and Gateshead on the Tyne and Welsh towns in Glamorgan and Monmouth counties.

This is what Englishmen mean by . . .

. . . THE DEPRESSED AREAS

AN OFFSPRING OF THE DEPRESSED AREAS (CONTINUED)

Reportage de *Life* juxtaposant, pour venger Mrs Simpson, une image de la reine Mary et des images de misère soulignées par les déchirures du papier.

THE PROCESSION MARCHES
THROUGH HISTORY HE HAD MAD

by ALAN MOOREHEAD

He began his last journey in Parliament Square where St. Margaret's stands. In this church on a gay day in 1908, he married Clementine, and it was one of the events of the social season that year, with the guests arriving in horse-drawn carriages, the men in top hats and the women in Edwardian dresses. He was 33 then, and already the young man had been in the cabinet for three years.

Now, as the procession moved up Whitehall, it passed, one after another, the great government offices which he controlled as a minister of the Crown: first, the Treasury, where from 1924 to 1929 he served as Chancellor of the Exchequer—perhaps his least successful period in office. As Chancellor, he brought England back to the gold standard, and the financial depression that followed precipitated a general strike which, for two weeks in May 1926, paralyzed the whole country. While the strike lasted, he produced with volunteer labor the only newspaper in the country, the *British Gazette*, and since he was out to smash the strike his name soon was almost as much loathed among the workers as later on it came to be loved.

Then on—past the old Ministry of Munitions, past the Colonial Office, the Home Office. At Munitions he pushed final development of the tank, the weapon which perhaps did more than any other to defeat Germany in World War I; at the Colonial Office, the abortive campaign at Vladivostok against Red Russia in the early 1920s. He served only one year in the Colonial Office, but his belief in colonialism was enduring. "We mean to hold

CONTINUED

S PEOPLE. As he lies in state, attended by Welsh Guards, mourning thousands pass in utter silence. In three days, 23 hours a day, (one hour set aside for cleaning), 321,360 came.

HIS JOURNEY. Having left Westminster, coffin moves through Whitehall, drawn by sailors. Family mourners follow, men walking, women in carriages. Big Ben is in background.

L'enterrement de Churchill entièrement en couleu

THEN TO BLADON

AT WATERLOO STATION. From river, bearer guard slow-steps the coffin to special train for the run to Handborough near burial site at Bladon. The locomotive, one of the "Battle of Britain" type of engines, was named "Winston Churchill" in 1946. Line over which train rolled had long been out of use but was kept up solely for Sir Winston's funeral journey.

es frais s'élevèrent à 250 000 dollars pour *Life*.

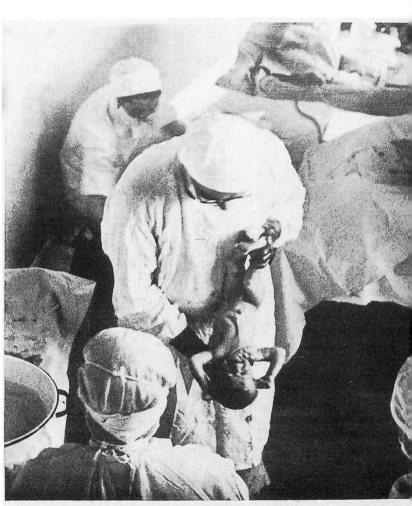

LIFE BEGINS

The camera records the most vital moment in any life: its beginning. A few hours ago, the
restless in its mother's womb. A second ago, its foetal life was rudely ended when the surgeon
its umbilical cord—through which the unborn child had drawn all existence from its mother.
a second or two, the child hung lank and unbreathing between two lives. Its blood circulate
heart beat only on the impetus given by its mother. Suddenly the baby's new and indepe
begins. He jerks up his arms, bends his knees and, with his first short breath, gives out a red

Mass media magazines
aux États-Unis

Trois ans après la prise du pouvoir par Hitler en Allemagne et après la « mise au pas » de tous les illustrés et de l'ensemble de la presse, paraît en Amérique un nouvel illustré qui deviendra le plus important de son genre dans le monde. C'est *Life*. Le premier numéro paraît le 23 novembre 1936. Tiré à 466 000 exemplaires, il dépasse un an plus tard le million pour être tiré à plus de 8 millions en 1972. Son succès fut unique et sa formule imitée un peu partout dans le monde.

Life n'était pas la première revue américaine entièrement composée de photographies. Dès 1896, le *New York Times* avait publié un supplément hebdomadaire photographique. D'autres journaux avaient suivi son exemple. Ils s'appelaient *Mid-Week Pictorial, Panorama, Parade*, etc. mais aucun n'avait encore eu le succès de *Life*.

L'idée était dans l'air depuis des années et sa réalisation se fit sous des influences diverses : d'abord l'évolution du film. Dès les premières décennies du XXᵉ siècle, il avait dépassé le stade du vaudeville, et attirait tous les jours des millions de spectateurs au cinéma; l'image devient familière et forme le regard. Le nouveau style de photojournalisme introduit par les illustrés allemands au début des années trente, repris un peu plus tard par la revue *Vu* en France, eut une influence profonde sur les créateurs de *Life*. Ils s'en inspiraient pour raconter des histoires entièrement en séquences de photos. Les photographies du **Dr Salomon** et de **Felix H. Man** étaient connues et avaient déjà paru dans les magazines américains. *Life* s'attacha les excellents photographes qui avaient fui l'hitlérisme et se fit conseiller par d'anciens collaborateurs de la presse illustrée allemande comme Korff et Szafranski, tous deux de la *Berliner Illustrirte*. Enfin les progrès de la photographie, les nouvelles techniques d'impression, avant tout celle de la couleur, ainsi que la transmission des photos par belino, ont joué un rôle prépondérant pour la création du magazine photographique moderne. Mais un des facteurs décisifs de son succès fut le rôle tout-puissant de la publicité.

En Amérique, les magazines sont entièrement financés par la publicité et leur profit dépend d'elle. Le rôle prédominant de la publicité est intimement lié à la transformation d'une Amérique agricole en une nation industrielle. Avec l'invention de nouvelles industries et de méthodes d'exploitation rentables, des biens de consommation furent standardisés et produits en grande quantité. La multiplication des routes et des chemins de fer rapprochaient producteurs et consommateurs. Mais l'Amérique est un pays immense et chaque région a ses journaux qui se spécialisent dans les nouvelles locales. Par contre les magazines, qui ne paraissent que chaque semaine ou chaque mois, sont distribués à travers tout le pays, et ainsi accessibles à toute la population. Les annonceurs avaient donc un intérêt tout particulier à faire paraître leur publicité dans ces magazines.

Entre 1939 et 1952, le nombre des annonceurs est passé de 936 à 2 538 et le nombre de produits vendus, grâce à la publicité, de 1 659 à 4 472 [137]. Ces faits eurent une influence profonde sur la conception des magazines. Jusqu'à la fin du XIXe siècle, les éditeurs étaient les producteurs exclusifs de leur contenu. Graduellement, en ouvrant leurs publications à la publicité et avec le développement de la société de consommation, leur rôle se transformait. A partir du moment où la publicité devenait la seule source de leur profit, ils ne s'intéressaient plus au lecteur comme lecteur, mais au lecteur des annonces publiées dans leurs magazines. Les éditeurs n'étaient plus seulement les producteurs de leur propre marchandise, en l'occurrence textes et illustrations, mais ils devenaient les vendeurs de messages publicitaires. Ils devenaient ainsi une part intégrante de tout le système du marketing aux États-Unis [138].

Les annonceurs payaient l'espace dans les magazines en fonction de leur tirage. La préoccupation des éditeurs, pour augmenter leur profit, était d'augmenter le tirage et pour cela il fallait rendre les magazines attrayants pour la foule des acheteurs. Avec l'avènement de la télévision ces relations devaient changer. Nous y reviendrons.

Dans les années soixante, 14 dollars sur chaque 100 dollars encaissés par l'ensemble des magazines américains allaient à *Life* qui fut lu par environ 40 millions d'Américains.

Life fut fondé par Henry R. Luce. C'était le fils d'un missionnaire presbytérien qui avait exercé ses fonctions en Chine où Luce était né en 1898. Son éducation calviniste et puritaine, l'austérité qui entourait son éducation, plus tard ses études à Yale, avaient fait de lui un conservateur dont les idées se reflétaient dans l'esprit de toutes ses publications. Sa vie, celle d'un jeune homme pauvre, qui devient en quelques décennies un des plus grands magnats de la presse américaine, est dans la plus pure tradition de l'Amérique libérale du premier tiers du XXe siècle [139].

En novembre 1929, il fonde avec son ami d'études de Yale, Briton Hadden, une société sous le nom de *Time Inc.* Le nom *Time* s'est imposé à lui un soir en lisant une publicité dans le métropolitain. Les jeunes fondateurs, alors âgés d'une vingtaine d'années, constatent qu'il n'existe aucune revue adaptée au rythme accéléré du travail. Les gens occupés ne disposent que de peu de temps pour s'informer. Il s'agira donc de remplir ce manque, et de créer une revue hebdomadaire qui informera sur tous les événements de la semaine écoulée. Leurs débuts sont modestes ; ils ont des difficultés à trouver les 85 000 dollars pour éditer *Time* dont le premier numéro paraît en mars 1923. Le contenu des premiers numéros − comme la revue ne dispose pas encore d'une vaste organisation d'information − est entièrement pris dans le *New York Times* et réécrit dans un style particulier. Ceci était en effet possible à l'époque, la Cour suprême de Justice ayant déclaré, dans un jugement, que des nouvelles, qui ont plus de vingt-quatre heures, tombent dans le domaine public [140].

Time eut un succès énorme et en 1936, quand parut *Life*, celui-ci fut organisé selon le même principe : sa rédaction se divisait en dix-sept départements principaux : affaires domestiques, musique, livres, nature, sports, sciences, mode, articles, éditoriaux, etc. Ces départements étaient groupés en divisions : cinéma et théâtre, par exemple, étaient rassemblés sous la rubrique divertissement; art et religion sous culture, etc. Chaque division avait à sa tête un éditeur et un documentaliste desquels dépendaient d'autres sous-éditeurs et documentalistes. Tous les documentalistes (*researchers*) étaient féminins. Les rédacteurs, qui écrivaient les textes, furent choisis de préférence parmi les jeunes gens qui sortaient des universités et surtout de Yale où Luce avait fait ses études. Chaque semaine, chaque département soumettait au chef de la division un rapport dans lequel il énumérait les « reportages en main » et les projets. Le reportage en main était prêt à la « banque », c'est-à-dire pouvait être publié immédiatement. Mais dans la plupart des cas, ces reportages n'étaient publiés que de longs mois après ou même jamais. Une autre liste était étudiée, celle des articles *in the works*, c'est-à-dire en train de se faire. Chaque jour, l'éditeur en chef choisissait quelques pages pour le magazine qu'il envoyait aux imprimeurs. Puis les jours suivants, en vue du reportage déjà choisi, il sélectionnait le reste du matériel pour la semaine. Si l'article principal paraissait un peu long et lourd, comme par exemple des mémoires ou un article scientifique, il cherchait des sujets plus légers pour donner au numéro un meilleur équilibre. Si l'article concernant les actualités était un peu froid, les départements des sciences, de l'éducation ou de la religion avaient une bonne chance de sortir quelque chose du « frigidaire » de leur « banque » et de le voir publié. Tout cela se décidait souvent en quelques heures.

Le département des actualités était chargé de rassembler des coupures de journaux qui pouvaient éventuellement mener à un reportage et étaient alors envoyées au département intéressé. Les documentalistes devaient ensuite envoyer ces coupures de presse au chef du bureau des actualités nationales ou étrangères qui, de leur part, si le sujet leur paraissait important, les envoyaient immédiatement aux correspondants de *Life* dans ses bureaux du monde entier. Quand on cherchait des renseignements sur un sujet défini, on se rendait à la « morgue » où se trouvaient toutes les coupures de presse et de renseignements, classés sur d'innombrables sujets [141].

Le directeur du département de la photographie avait affaire à tous les photographes qui travaillaient pour *Life*. Il était le lien entre eux et les départements éditoriaux. Il distribuait les *assignments*, c'est-à-dire les reportages à faire. Sa tâche était de les guider et de contrôler leurs travaux et déplacements. Il engageait et congédiait. Sa position à l'intérieur de la revue dépendait de sa capacité à obtenir le maximum de ses photographes et il devait être bon psychologue, car les photographes sont des gens d'un tempérament souvent susceptible et continuellement tendus car leur tâche n'est pas aisée. Presque toujours ils travaillent dans des circonstances difficiles, souvent même extrêmement pénibles. Ils sont toujours limités par le temps. Ils doivent avoir une santé de fer, beaucoup de courage, des réactions immédiates, s'adapter à toutes les situations. Leur vie est souvent en danger et beaucoup ont payé leur témérité de celle-ci. Ils ont affaire à des hommes de toutes les classes et doivent savoir se comporter avec la même aisance aussi bien à la cour d'un roi que dans une tribu sauvage. Les rapports entre directeur du département de la photographie et photographes ne sont pas toujours faciles car lui donne les ordres de son bureau tandis qu'eux sont sur place, en lutte avec des difficultés qui paraissent souvent insurmontables.

Un des directeurs du département photo qui eut une grande influence sur le style particulier de *Life* était Wilson Hicks. Pendant treize ans (1937-1950), il a tenu ce poste et formé toute une génération de photographes dont beaucoup sont devenus célèbres. Sa popularité souffrait des façons souvent rudes dont il les traitait. Son principe était celui de la carotte et du fouet, mais les photographes qui ont travaillé pour lui eurent le plus profond respect pour sa connaissance du photojournalisme et ses idées fertiles [142].

Quand un reportage devait être utilisé, les photographies étaient envoyées au directeur du département des arts qui était chargé de leur mise en pages et au rédacteur qui devait écrire le texte en un nombre de mots très exactement précisé. Il le rédigeait sur un papier jaune spécial où était calibré le nombre de lettres et lignes qui devaient exactement concorder avec la longueur du texte. Des documentalistes avaient ensuite la tâche de vérifier chaque mot. Au-dessus de chaque mot vérifié, si le sens leur semblait correct, ils devaient marquer un point rouge.

Les articles étaient ensuite copiés dans un bureau spécial. *Life* employait en plus des spécialistes : historiens, médecins, psychologues, éducateurs, etc., pour vérifier le contenu des articles.

Outre les photographes, employés directement par le magazine, on avait recours à des photographes indépendants et à des agences. Ce qui rendit possible la grande réussite de *Life* fut l'énorme organisation de *Time Inc.*, la société qui coiffait toutes les entreprises de Luce. Elle fut encore élargie durant la dernière guerre quand fut fondé *Time-Life International*, disposant d'environ 360 bureaux dans le monde entier qui occupaient 6 700 personnes.

Henry R. Luce avait commencé sa carrière de journaliste en 1921 comme reporter à la *Chicago News* avec un salaire de 16 dollars par semaine. En 1967, il pouvait, de son bureau au 34e étage du Rockfeller Center à New York, contrôler un vaste empire de publications et d'entreprises qui comptait parmi les cinq cents plus grandes entreprises industrielles en Amérique. *Time* tirait maintenant à plus de 3 millions d'exemplaires par semaine, *Life* à plus de 8 millions. En plus il possédait *Sports Illustrated* et *Fortune*, ce dernier magazine créé uniquement pour les hommes d'affaires, l'ensemble tirant à plus de 13 millions. En dehors de ces publications, il possédait un département d'édition qui vendait environ 17 millions de livres par an, cinq stations de radio et six de télévision, des usines à papier, des forêts, des exploitations de pétrole au Texas, etc. *Time Inc.* gagnait près de 15 millions de dollars par an, et les revenus personnels de Luce s'élevaient à plus d'un million et quart de dollars. Il était au sommet de son succès quand il mourut subitement cette même année 1967 à l'âge de 69 ans [143].

« Pour voir la vie, pour voir le monde, être témoin des grands événements, observer les visages des pauvres et les gestes des orgueilleux ; voir des choses étranges : machines, armées, multitudes, des ombres dans la jungle et sur la lune ; voir des choses lointaines à des milliers de kilomètres, des choses cachées derrière les murs et dans les chambres, choses qui deviendront dangereuses, des femmes, aimées par les hommes, et beaucoup d'enfants ; voir et avoir plaisir de voir, voir et être étonné, voir et être instruit. » Avec ces mots, Henry R. Luce introduisait le premier numéro de *Life* [144]. Il se composait de quatre-vingt-seize pages dont un tiers de publicité. La photographie sur la couverture était de Margaret Bourke-White, dont le nom associé à ceux d'Alfred Eisenstaedt, Thomas Mc Avoy et Peter Stackpole désignait le *team* des reporters photographes employés par la revue. La couverture représentait une vue du Fort Peck Dam à Montana dans l'Ouest, introduisant au reportage principal de ce numéro : neuf pages sur l'aide aux chômeurs, une des facettes du New Deal, que Roosevelt, alors président des États-Unis, avait conçu pour combattre la dépression économique. Peu de temps après, Henry Luce devenait un de ses adversaires les plus acharnés et se servait de ses journaux pour combattre sa politique.

Une seule photographie remplit la première page* : la naissance * p. 132 d'un enfant, un obstétricien tenant dans ses bras un nouveau-né avec la légende : « La vie commence ». C'était un jeu de mots pour introduire ce premier numéro. La légende continuait : « l'appareil enregistre le moment le plus important dans n'importe quelle vie : son début. » Suivaient deux pages sur les enfants d'une école chinoise à San Francisco, un album de photos sur le président Franklin Roosevelt, quatre pages dont trois en couleur sur un peintre en vogue qui s'appelait Curry, quatre pages de photos sur « la plus grande actrice vivante » : Helen Hayes, dont une en couleur ; deux pages sur le Rockefeller Center et sa station de radio. Cinq pages dédiées au Brésil, quatre à Robert Taylor, star de cinéma, une page sur Sarah Bernhardt, deux sur une nouvelle carte météorologique mondiale. Sur une page un unijambiste escalade une crête abrupte dans la montagne, encore deux pages sur la vie en Russie, deux pages sur un insecte : la veuve noire, et enfin un reportage qui sous la rubrique : « Life va à une party », montre des photos d'une garden-party d'aristocrates français.

Ce premier numéro donne le ton de *Life*. Il avait fallu des mois de travail pour définir la ligne qui plairait au plus grand nombre de lecteurs à l'Est comme à l'Ouest des États-Unis ; éveiller leur curiosité, toucher les problèmes qui les concernent, leurs rêves de réussite, leurs préoccupations sentimentales. Il fallait être populaire pour se faire comprendre de tous, vulgariser les sciences et les arts. *Life* voulait être une revue destinée à tous les membres de la famille. Plus tard on ajoutait des rubriques comme « Le monde dans lequel nous vivons », des Mémoires de célébrités comme ceux du roi Édouard qui avait abdiqué pour pouvoir épouser Mrs. Simpson. On y publie des œuvres de grands écrivains comme *le Vieil Homme et la mer* de Hemingway, ainsi que des essais sur les grandes religions du monde.

« Je suis un presbytérien et un capitaliste. Je suis pour Dieu, le parti républicain et la libre entreprise. Nous avons inventé *Time*, Hadden et moi, et pour cette raison, nous avons le droit de dire ce qu'il sera. Nous racontons la vérité au mieux de notre savoir et de notre croyance [145]. » La vérité, le savoir et la croyance de Henry R. Luce correspondaient aux idées de la petite couche du grand capital qui dirige le destin des États-Unis. *Life* devait d'abord rapporter de l'argent; aider la politique qui lui semblait la bonne. Luce ne s'en cachait pas. Aussi, comme ses ancêtres presbytériens se voulait-il éducateur des masses. Le succès de son magazine reposait sur des études approfondies de psychologie. L'homme s'intéresse avant tout à lui-même. Les conditions humaines et sociales qui touchent la propre vie du lecteur le frapperont. Quand elles sont mauvaises, il faut lui donner l'espoir d'un avenir meilleur. Les neuf pages sur le New Deal à Montana pour faire sortir toute une population de la misère et lui donner du travail, sont encourageantes. Les images d'enfants touchent la corde sentimentale, les photos du président symbolisent l'image du père protecteur. La vie des actrices et des stars de cinéma montre que le talent et un travail acharné sont toujours récompensés; la science fait des miracles. L'exploit d'un unijambiste satisfait le désir du sensationnel, les images du Brésil le goût de l'exotisme. Voir les photos d'une garden-party d'aristocrates met leur vie à la portée de tous.

Le monde qui se reflétait dans *Life* était plein de lumières avec peu d'ombres. En somme c'était un pseudo-monde qui inspirait de faux espoirs aux masses. Mais il est aussi vrai que *Life* a vulgarisé les sciences, ouvert des fenêtres vers des mondes inconnus alors, éduqué les masses à sa façon, et contribué à faire connaître l'art. On estime que le magazine a dépensé plus de 30 millions de dollars en reproductions d'œuvres en couleur. Luce était un ardent patriote : dans ses revues le nationalisme américain fut mis en vedette. La grande majorité des autres magazines était fabriquée sur le même modèle, mais ce qui donnait tant de véracité à *Life* était l'utilisation massive de la photographie. Pour l'homme non prévenu, la photographie ne peut mentir, puisqu'elle est la reproduction exacte de la vie. Peu de gens se rendent compte en effet qu'on peut en changer complètement le sens par la légende qui l'accompagne ou par sa juxtaposition avec une autre image. A quoi s'ajoute la façon de photographier les personnages et les événements. Nous en reparlerons.

La popularité de ce nouveau journalisme, presque exclusivement basé sur l'image, est le fait du changement survenu dans la condition de l'homme moderne et de la tendance à une standardisation de plus en plus grande. L'individu comme tel, devient insignifiant, mais son besoin moral de s'affirmer en tant qu'individu augmente. Le succès des hebdomadaires illustrés est basé sur ce phénomène. En dehors de l'actualité, ils racontent des histoires qui ont trait à la vie de la masse des lecteurs, mais dont les noms des personnages sont toujours indiqués. Au fur et à mesure que les relations réelles entre hommes se déshumanisent, le journaliste tend à donner à l'individu une importance factice.

Life eut un succès énorme et fut lu par les masses. C'était un magazine familial qui ne publiait pas de choses choquantes. Pourtant vers la fin des années soixante, *Life* ainsi que d'autres magazines comme *Look* ou *Holiday*, se trouvent en difficulté. De toutes les entreprises de *Time Inc.*, *Life* avait rapporté le plus de bénéfices. Maintenant il accuse des pertes.

Une des raisons de cette crise est l'inflation : le papier, l'impression, les salaires, les frais d'envoi, etc., en somme tout ce qui est nécessaire pour produire un magazine d'images, a considérablement monté. Pour l'année 1971, on estimait l'augmentation des frais à environ 35 % par rapport à l'année précédente. Les propriétaires des grandes revues américaines prirent des mesures énergiques. *Life* ferma des bureaux en Amérique et à l'étranger, réduisit le nombre de ses employés, supprima l'édition espagnole qui n'avait jamais rapporté. Un peu plus tard on supprima aussi l'édition internationale. Jusqu'alors la revue assurait pour un sujet le *blanket coverage*, c'est-à-dire que la documentation et l'enquête étaient poussées dans leurs plus petits détails, on y employait souvent au moins une vingtaine de journalistes et de photographes, les envoyant partout où cela était nécessaire. Voici un exemple de la façon dont *Life* s'assurait un *blank et coverage* pour réaliser un reportage exclusif.

Le lundi 5 février 1965, 35 millions d'Américains (*Life* tirait à cette époque à environ 7 millions d'exemplaires) ont pu voir vingt-deux pages et demie dont vingt en couleur sur les obsèques * p. 130 de Winston Churchill*. Cette réalisation a nécessité dix-sept photographes et plus de quarante journalistes et techniciens, une douzaine de motocyclistes, deux hélicoptères et un avion D.C. 8. Deux ans plus tôt déjà un documentaliste avait établi la liste hautement confidentielle de tout ce qui se passerait à la mort de Winston Churchill : cérémonial, lieu des cérémonies, parcours du défilé, emplacement de la tombe et le jour des obsèques, qui avait 90 % de chances d'être un samedi. On dressa la liste des lieux privés d'où les photographes de *Life* pourraient opérer en toute sécurité, et dès que Churchill tomba malade, ces emplacements furent loués. Normalement, *Life* qui paraît le lundi, boucle le mercredi soir. On mit en place un dispositif exceptionnel pour que le numéro ne commence à s'imprimer que la nuit du samedi et qu'il soit distribué par voie aérienne et non par voie terrestre. Il ne restait plus au vieux lion qu'à mourir.

Comme prévu, l'enterrement eut lieu le samedi. Chaque photographe est à sa place. Les films sont ramassés en cinq points : Westminster Hall, Saint-Paul, Trafalgar Square, le débarcadère de la Tamise et Bladon où l'inhumation a lieu. Depuis quinze jours, des fenêtres étaient louées dans trois petites maisons donnant sur le cimetière et 48 heures avant qu'on annonce l'interdiction d'y faire des photos, trois photographes étaient déjà sur place. (*Life* ne publiera pas leurs photos.)

Des motocyclistes portent les films sur l'aéroport où attend l'avion qui avait été spécialement loué. Son intérieur a été transformé en salle de rédaction avec des tables couvertes de machines à écrire. Un laboratoire confortable a été installé sur le devant de l'avion, un système électrique spécial est à son service. On a aussi aménagé une très grande table pour étaler les photos pour la mise en pages, de même que des boîtes lumineuses qui permettent de juger les photos en couleurs par transparence après leur développement. Une petite bibliothèque qui contient les dix volumes des œuvres de Churchill est à la disposition des journalistes.

L'avion avait décollé la veille de New York, ayant à son bord 40 membres de la rédaction, parmi eux six spécialistes qui vont développer les 70 rouleaux de photos en couleur. L'avion mettra un peu plus de huit heures pour faire le parcours de 8 500 miles qui séparent Londres de Chicago où se trouve l'imprimerie de *Life*. Le choix des documents, la mise en pages et les textes détaillés qui les accompagnent sont préparés durant le voyage. L'avion, pour éviter les vents qui auraient pu le retarder, se dirige vers le nord et passe juste au-dessous du cercle arctique. Une page après l'autre est préparée et quand paraît le lac Michigan sur le bord duquel se trouve Chicago, le travail est terminé [146].

Les frais du reportage s'élèvent à 250 000 dollars. « Nos lecteurs en sont les premiers bénéficiaires » écrit l'éditeur. « Ce prototype a montré que tous les maillons de la chaîne qui vont de l'événement à sa vision par le lecteur, tenaient bon. Nous avons marqué un point sur les télévisions. » Donc déjà au début de 1965, la concurrence de la télévision commençait à hanter les éditeurs. Quelques années plus tard elle devient une réalité. On est obligé de réduire considérablement le nombre des collaborateurs. Dans l'espoir de retrouver la rentabilité de la revue, des expériences sont faites. Par exemple on décide de donner plus d'importance aux textes. Des reportages photographiques qui devaient couvrir 12 pages sont réduits de moitié. A un moment donné, le très moral *Life* quitte même sa ligne de conduite en publiant des reportages sur la maffia et la corruption pour « plaire aux jeunes ». Mais les lecteurs protestèrent vivement et on abandonna ce genre de *yellow journalism*.

Cette crise semble incompréhensible quand on se rappelle que *Life* a un succès extraordinaire auprès du public. Ses abonnés se chiffrent maintenant à 8,6 millions, un nombre jamais encore atteint par aucun magazine illustré. Mais un trop grand nombre d'abonnés peut signifier une perte, surtout à une époque inflationniste, quand les prix de revient d'un magazine montent – les frais postaux avaient augmenté en 5 ans de 170 % –, tandis que les contrats publicitaires qui s'établissent sur des périodes plus ou moins longues et qui font vivre la publication, sont gelés. A cela s'ajoute une crise de confiance des annonceurs.

En 1966, *Life* avait vendu 3 300 pages de publicité pour une somme approchant 170 millions de dollars. Deux ans plus tard, en 1968, il a vendu seulement 2 761 pages pour environ 154 millions de dollars, une perte de 16 %. En 1969, le déficit s'élevait à 10 millions et la perte continuait les années suivantes [147]. Le

31 octobre 1970, le *New York Times* publiait que *Time Inc.* avait
vendu onze stations de télévision et de radio locales pour la somme
de 80,1 millions de dollars. Le journal insistait sur le fait que
c'était là une affaire étonnante, puisque les vendeurs se défaisaient
d'entreprises qui rapportaient pour en garder d'autres qui per-
daient de l'argent comme *Life* par exemple. Les dirigeants de
Time Inc. n'avaient sans doute pas abandonné l'espoir que le
magazine redeviendrait prospère [148].

Une pleine page en quatre couleurs dans *Life* coûtait en 1970
environ 64 000 dollars. Avec ses nombreux abonnés, le magazine
représentait 40 millions de lecteurs. Pour la même somme, un
annonceur pouvait acheter une minute dans un des programmes
les plus populaires de la télévision, comme *Laugh in*, touchant
50 millions de gens.

Le 9 décembre 1972, l'*International Herald Tribune* titrait à
la Une : « *Life magazine* est mort à l'âge de 36 ans. » *Time Inc.*
avait décidé de suspendre sa publication. Ce fut la consternation
dans les milieux de presse du monde entier. Tous les journaux et
toutes les télévisions et radios annonçaient la disparition du plus
grand hebdomadaire illustré (le dernier numéro sortit le 28 décembre 1972). Avec la fin de *Life*, toute une époque du photojournalisme était morte. A la bourse de New York les actions de *Time Inc.*
montaient subitement. Débarrassé du déficit de *Life*, le grand
trust de l'édition américaine gagnait en confiance et promettait
de nouveaux profits.

Depuis ses débuts dans les années quarante, la télévision avait
fait des pas de géant. En 1949, on comptait en Amérique 69 stations; en 1970 plus de 800. Elle était devenue une rivale formi-
dable pour les magazines. Même si l'image sur le petit écran est
fugitive, elle apporte les nouvelles quelquefois au moment même
où les faits ont lieu. *Life*, par contre, ne paraissait qu'une fois par
semaine et il ne restait à la rédaction qu'à compléter les actualités
et les événements politiques déjà connus par des millions de télé-
spectateurs. Les seuls magazines peu touchés par la crise sont les
magazines spécialisés comme M.D. (*Medical World Tribune*)
financé par le trust tout-puissant des produits pharmaceutiques
et destiné aux médecins, ou ceux encore qui s'adressent à une
clientèle féminine et les sex magazines, ainsi que les revues d'intérêt local.

A la suite d'études de marché montrant que les magazines spécialisés sont beaucoup moins concurrencés par la télévision qui ne peut pas s'attarder longtemps sur des problèmes particuliers, les dirigeants de *Time Inc.* décidèrent, pour assurer la suite de l'entreprise journalistique, de mettre au point plusieurs revues de ce genre. Les sujets proposés étaient : Santé, Voyage, Nourriture, Film, Argent, Enfants, etc. Le premier de ces magazines est sorti en octobre 1972 sous le titre *Money* (Argent).

En avril 1972, quand Hedley Donovan et Andrew Heiskell, les directeurs de *Time Inc.* annoncèrent ce nouveau magazine mensuel à la presse, ils justifièrent sa publication par le fait que la plupart des gens ne savaient pas s'occuper de leurs affaires financières. En s'adressant aux actionnaircs, Donovan déclarait : « *Money* ne vous rendra pas riche, aucun magazine consciencieux ne peut faire cette promesse. Mais la lecture de ses numéros successifs aidera le lecteur à mieux contrôler ses finances personnelles. *Money* va commencer avec un tirage national de 225 000 exemplaires, la plupart payés d'avance par abonnements de 15 dollars par an... »

La nouvelle revue a le même format que *Time* et contient 104 pages dont 48 de publicité. « Jusqu'alors les consommateurs de magazines aux États-Unis étaient habitués à ne payer que des sommes dérisoires », déclarait Donovan aux actionnaires. « Nous proposons aux lecteurs de payer une part substantielle des frais, qui permettra une certaine indépendance financière par rapport à la publicité [149]. »

Au début des années soixante-dix, l'inflation commençait à s'étendre à l'Europe et les illustrés furent atteints pour les mêmes raisons que ceux d'Amérique. En Europe, la télévision est devenue aussi un concurrent redoutable, même si la publicité est encore restreinte, comme en France. *Paris-Match*, le plus grand illustré français tirait en 1957 à 1 800 000 exemplaires. Dix ans plus tard, en 1967, sa diffusion tombe à 1 382 000 et en avril 1972 son tirage n'est plus que de 810 722 [150].

Paris-Match est avec *Le Figaro* (vendu en 1975), *Télé-Sept-Jours*, *Marie-Claire*, *Parents*, radio Luxembourg etc., la propriété de Jean Prouvost, magnat de l'industrie textile. Pour sauver l'illustré, il suggère à sa direction un changement de formule. Le but de *Paris-Match* a toujours été de ressembler à *Life*. Dans cette crise, Prouvost s'adresse une fois de plus à l'Amérique. Il fait venir de New York le maquettiste du *New York Magazine*, fondé en 1968 et qui a un grand succès. Le format est légèrement réduit. La partie photographique ne remplira plus que 50 % des pages, car la partie rédactionnelle est augmentée. De nouvelles rubriques sont créées qui s'adressent directement aux Français en parlant des innovations techniques et scientifiques qui ont une influence sur leur vie. Les pages dédiées aux cancans sur la vie parisienne augmentent. Des articles, dits sensationnels, des histoires qui ont fait scandale comme la publication des photos de Jacqueline Kennedy nue, ou encore les détails sur l'histoire de *Playboy*, magazine américain plus ou moins pornographique, doivent rendre *Paris-Match* plus piquant. L'hebdomadaire augmente son prix; la vente de ces premiers numéros, nouvelle formule, augmente aussi, d'après les dires de la rédaction. Mais les anciens faiseurs de *Life* sont sceptiques. Eux aussi avaient vainement essayé de sauver leur revue en introduisant de nouvelles formules. Le succès de l'illustré reste problématique, car la raison de la perte d'intérêt du public pour ce genre de publication de vulgarisation est la même qui fait diminuer d'année en année le nombre de lecteurs de la presse. Au fur et à mesure que le rythme de la vie s'accélère, le temps de lire diminue. D'après les statistiques officielles, 85 % de la population française se met au courant des événements par la radio et la télévision gouvernementales, ou par les radios « périphériques » contrôlées par le gouvernement [151]. Ce sont ces mass media qui, tout en prétendant à l'objectivité et dont les responsables d'émissions sont constamment censurés ou obligés de se censurer eux-mêmes, façonnent et manipulent l'opinion publique au nom du pouvoir établi.

Le métier de reporter photographe fut profondément affecté par les changements survenus dans la presse illustrée. Si l'on veut rester dans cette profession, il faut trouver d'autres marchés. Un certain nombre de photographes qui avaient travaillé en Amérique pour les grands magazines nationaux, trouvent du travail dans les revues éditées par les corporations, telles que I.B.M., R.C.A. et autres géants de l'industrie. Ces entreprises avaient, dans le passé, édité des rapports assez ennuyeux et remplis de chiffres. Mais depuis quelques années, leur présentation et leur contenu ont radicalement changé. Ils sont devenus des magazines intéressants et luxueux, publiés avec le plus grand soin. Des écrivains et des journalistes de renom sont les auteurs des articles, et les reportages photographiques sont commandés à de grands photographes très bien payés. Des centaines de magazines de ce genre paraissent aux États-Unis. *Electronic Age* (l'Age électronique) par exemple est publié par la R.C.A. (Radio Corporation of America). La Standard Oil publie un magazine sous le nom de *The Lamp* (la Lampe). La plus belle de ces revues est *Think* (Pense) publiée par I.B.M. (International Business Machines). La revue est tirée à environ 800 000 exemplaires. La plupart de ces publications sont distribuées gratuitement sur simple demande. D'autres encore sont des organes intérieurs et ne s'adressent qu'aux milliers d'employés de l'entreprise. Le but de ces revues est la publicité pour les produits de l'entreprise, mais elle se cache souvent sous des articles et des reportages qui semblent ne pas avoir de rapport direct avec elle. Il est intéressant de constater que le sigle I.B.M. n'est jamais mentionné dans la revue *Think*. En Europe se publient aussi de multiples revues de ce genre, éditées par l'industrie, comme celle de l'Électricité de France, celle du Crédit foncier de France ou celles que publie l'industrie pharmaceutique. D'autres photographes se sont recyclés en travaillant pour les maisons d'éditions qui cherchent des photos isolées afin d'illustrer leurs publications. Quelques photographes encore se sont tournés vers la télévision en se spécialisant dans les documentaires. Mais ils ne peuvent réussir à vendre leurs films que sous la condition d'apporter des documents d'actualité exceptionnels. Un marché récent est constitué par les nouvelles encyclopédies. Leurs éditeurs ont eu l'idée astucieuse de les vendre, chaque semaine, en fascicules qui s'achètent dans tous les kiosques au même prix que les hebdomadaires. A la fin de l'année, l'éditeur fournit la reliure pour les volumes. L'attrait de ces encyclopédies tient à leur présentation, presque entièrement en couleurs. Leur prix modique est rendu possible du fait qu'elles paraissent toutes en coproductions ce qui diminue considérablement le coût de leur fabrication. Les textes qui accompagnent les images sont écrits dans un style pseudo-scientifique, compréhensible par tous. Elles ont un grand succès dans la mesure où elles donnent l'impression aux lecteurs de mieux comprendre notre monde et l'environnement technologique dans lequel nous vivons.

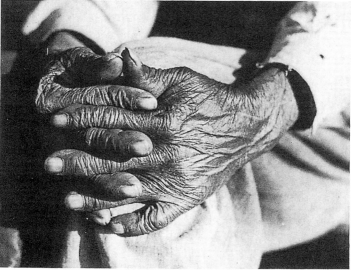

LA PHOTOGRAPHIE INSTRUMENT DE LUTTE SOCIALE

New York : famille d'immigrants (Jessie Tarbox Beals, 1910).

Travail d'enfants dans les mines de charbon en Pennsylvanie
(Lewis W. Hine, 1911).

Mains d'un ancien esclave
(Jack Delano, photographe de la Farm Security Administration).

La faim (Werner Bischof).

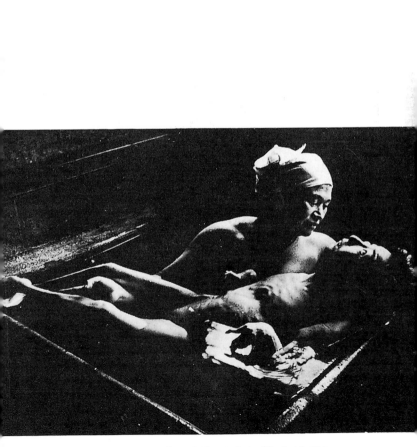

La pollution au Japon (Eugène Smith).

ADOLF – DER ÜBERMENSC

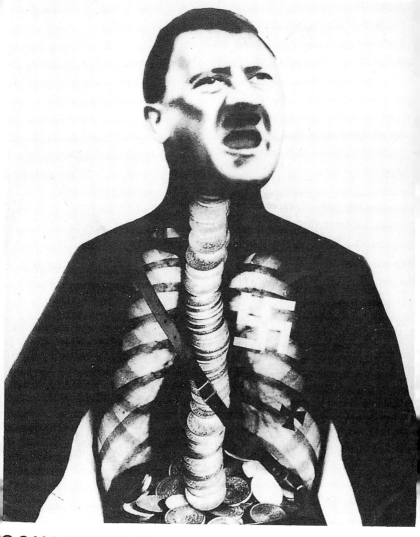

SCHLUCKT GOLD UND REDET BLEC

La photographie, instrument politique

Avec l'utilisation courante de photos dans la presse, les photographes indépendants, ceux qui ne sont pas attachés à une entreprise de presse sont obligés de passer par les agences de photos, intermédiaires entre producteurs et acheteurs de l'image.

Une des premières agences fut créée en Amérique par George Grantham Bain (1865-1944). Il était journaliste et écrivait pour des magazines. Il prit l'habitude d'envoyer avec ses articles des photos, prises par lui-même. Bientôt il se rendit compte que les éditeurs retenaient presque toujours ses clichés, mais délaissaient ses articles, en recevant maints autres sur le même sujet. Envoyer des photos à la presse était encore un service inconnu à l'époque. Pressentant les possibilités nouvelles qui s'ouvraient dans cette direction, Bain fonde en 1898 des agences dont la *Montauk Photo Concern*. Pour satisfaire la demande, il engage des photographes professionnels, parmi eux, Frances Benjamin Johnston (1864-1952), une des premières femmes photographes américaines qui se firent un nom. Au troisième Congrès international de photographie, en 1900 à Paris, elle est la seule déléguée féminine et représente, avec le photographe Alfred Stieglitz, l'Amérique [152].

La constante augmentation de la demande amène la multiplication des agences de presse dans tous les pays. Elles engagent des photographes ou passent des contrats avec des photographes indépendants. Elles prélèvent généralement 50 % sur les ventes, quelquefois davantage, sous prétexte qu'elles ont à partager leur bénéfice avec une agence étrangère. Le photographe, qui a pris tous les risques matériels, n'a aucun moyen de contrôler la vente de ses photos. C'est pour cette raison que Capa avait fondé en 1947 avec quelques camarades l'agence Magnum.

Adolf le surhomme
Avale l'or et crache du plomb !
(Photomontage de John Heartfield).

Les *Founding fathers* de la coopérative étaient Robert Capa, David Seymour (Chim), Henri Cartier-Bresson, George Rodger, William Vandivert et Maria Eisner. Tous achetaient des actions en parts égales. Werner Bischof, Ernst Haas et Gisèle Freund rejoignaient l'agence en 1949; Eve Arnold, Erich Hartmann, Erich Lessing, Dennis Stock, Kryn Taconis, Jean Marquis, Burton Glinn, Elliot Erwitt, Inge Morath, Marc Riboud, Cornell Capa, Wayne Miller, Brian Brake, René Burri et Bruce Davidson entre 1951 et 1958. Maria Eisner dirigea le bureau de Paris, puis celui de New York, remplaçant Rita Vandivert.

Pour ce groupe de photographes, la photographie n'était pas seulement un moyen de gagner de l'argent. Ils voulaient exprimer, à travers l'image, leurs propres sentiments et leurs idées sur les problèmes de leur époque. C'est la raison pour laquelle Capa refusa de faire publier un grand reportage sur *la Jeunesse du monde* auquel avaient collaboré tous les membres du groupe, dans le monde entier, à grands frais. L'éditeur, qui avait accepté l'idée, voulait imposer des changements qui en auraient complètement faussé l'esprit. La série ne fut publiée que six mois plus tard, dans la revue *Holiday* qui accepta de la reproduire telle qu'elle avait été conçue.

Pourtant peu de photographes ont la possibilité d'imposer leurs points de vue. Il suffit souvent de peu de choses pour donner à des photos un sens diamétralement opposé à l'intention du reporter. Je fis l'expérience dès mes débuts. Avant-guerre, la vente et les achats de titres à la Bourse de Paris se passaient encore en plein air, sous les arcades. Un jour, j'y faisais tout un ensemble de photos, prenant comme cible un agent de change. Tantôt souriant, tantôt la mine angoissée, épongeant son visage rond, il exhortait les gens à grands gestes. J'envoyai ces photos à divers illustrés européens sous le titre anodin : « Instantanés de la Bourse de Paris. » Quelque temps plus tard, je reçus des coupures d'un journal belge, et quel ne fut pas mon étonnement de découvrir mes photos sous une manchette qui portait : « Hausse à la Bourse de Paris, des actions atteignent un prix fabuleux. » Grâce aux sous-titres ingénieux, mon innocent petit reportage prenait le sens d'un événement financier. Mon étonnement frisa la suffocation quand je trouvai quelques jours plus tard les mêmes photos dans un journal allemand sous le titre, cette fois, de « Panique à la Bourse de Paris, des fortunes s'effondrent, des milliers de personnes ruinées ». Mes images illustraient parfaitement le désespoir du vendeur et le désarroi du spéculateur en train de se ruiner. Il était évident que chaque publication avait donné à mes photos un sens diamétralement opposé, correspondant à ses intentions politiques. L'objectivité de l'image n'est qu'une illusion. Les légendes qui la commentent peuvent en changer la signification du tout au tout [153].

Sous le titre : « Information ou propagande? » l'hebdomadaire *l'Express* publiait en décembre 1956 une double série de photos prises au cours de la révolte hongroise. Documents identiques dont la rédaction s'était bornée à changer l'ordre et modifier le commentaire. Il s'agissait de montrer comment les diverses télévisions gouvernementales auraient pu utiliser les mêmes images pour donner des événements des versions parfaitement contradictoires, mais apparemment tout aussi véridiques, pour mettre le public en garde contre des manipulations possibles. En voici quelques exemples.

Sous une photo représentant un tank russe dans une rue. Première légende : « Au mépris du droit des peuples à disposer d'eux-mêmes, le gouvernement soviétique a envoyé des divisions blindées à Budapest pour réprimer le soulèvement. » Deuxième légende : « Le peuple hongrois a demandé l'aide du peuple soviétique. Des chars russes ont été envoyés pour protéger les travailleurs et rétablir l'ordre. »

Sous une photo de Janos Kadar. Première légende : « Sous la protection des tanks russes, le stalinien Janos Kadar a formé un nouveau gouvernement et instauré un régime de terreur policière. » Deuxième légende : « Mais, grâce aux mesures énergiques prises par le nouveau gouvernement formé par Janos Kadar, soutenu par la population unanime, la révolte a été matée. »

Sous la photo représentant deux jeunes Hongrois. Première légende : « Malgré la sanglante répression des troupes soviétiques, la jeunesse hongroise continue la lutte aux cris de : Plutôt la mort que l'esclavage! » Deuxième légende : « Malgré les appels du gouvernement, des contre-révolutionnaires fanatisés ont refusé de déposer les armes et ont poursuivi une lutte sans espoir. »

Lors de la guerre du Biafra, l'illustré ouest-allemand *Stern* publiait en septembre 1967 une enquête sous le titre : « Les mercenaires et leur paradis », illustrée de photographies prises, pour la plupart, dans la région de Bukavu par le photographe Paul Ribeau. L'hebdomadaire *Jeune Afrique*, édité à Paris, reproduisait une semaine plus tard des extraits de cet article, ainsi qu'une photographie représentant les corps disloqués de deux Africains suspendus par les bras à un arbre. A une semaine d'intervalle, la même photographie avait changé de légende. Les lecteurs allemands avaient lu : « Des soldats de l'armée nationale congolaise ont fait prisonniers ces gendarmes katangais et les ont pendus à des arbres; ils devaient mourir de faim. Les mercenaires blancs de Schramme leur ont sauvé la vie. » Les lecteurs de *Jeune Afrique*, surtout les lecteurs africains qui constituent une importante partie de la clientèle de cet hebdomadaire, eux, lisaient : « Soldats de l'armée nationale congolaise prisonniers des mercenaires. »

Le 4 octobre 1967, *Le Monde* publiait sous la rubrique : Correspondance, *la Vérité sur une photo controversée*, une lettre signée Paul Ribeau dans laquelle il expliquait : « Les hommes pendus à un arbre ne sont ni des soldats congolais, ni des gendarmes katangais. Comme il est aisé de le voir sur la photographie, l'un des deux pendus est habillé en civil, pantalon de toile claire, chemise plus sombre. Dans ce pays où les mercenaires, les gendarmes katangais et les soldats de Mobutu sont très sensibles au prestige de l'uniforme, les combattants ne s'habillent pas en civil. En réalité les deux pendus sont deux civils qui avaient commis le crime d'être boys des mercenaires. Traités comme « collaborateurs », ils ont été attrapés par l'armée nationale congolaise, torturés et pendus encore vivants aux branches d'un palmier. Ils ont été délivrés par le retour imprévu des mercenaires. J'ajoute qu'il est extrêmement rare que l'armée nationale congolaise se contente de torturer ses adversaires. La torture précède le découpage des parties du corps à la machette. Parfois l'exécution est suivie d'un festin de cannibales. Cela n'est pas fréquent, mais on a retrouvé près de Bukavu des os humains tout près d'un feu de bois. Je possède des documents photographiques montrant ce qu'il reste d'hommes, de femmes et d'enfants exécutés par l'armée nationale congolaise. Hélas! dans le Congo d'aujourd'hui la vie humaine n'est pas respectée. J'ajoute que je ne suis pas l'auteur des légendes de mon reportage photographique qui a paru récemment dans différentes publications françaises, anglaises, américaines, allemandes, italiennes, etc. J'ai été très surpris de lire dans *Jeune Afrique* le reportage du journal allemand *Stern*... »

Une autre façon de changer la signification de photos est la manière de les juxtaposer. En 1936, *Life* me chargea de faire un reportage sur les *distressed areas** en Angleterre, c'est-à-dire * p. 128 les « régions en détresse », appelées officiellement « pays noirs ». Ces régions fortement industrialisées avaient été au siècle dernier le centre des industries les plus prospères. De la Première guerre mondiale, suivie de la grande crise, ces régions sortirent très durement atteintes. La plupart des entreprises, fondées au XIXe siècle, employaient des méthodes démodées et ne pouvaient plus supporter la concurrence des usines modernes. Les propriétaires trouvaient plus avantageux de les abandonner que de les moderniser. Ils quittaient le pays, mais la population, elle, restait sur place et connaissait la misère. En 1936, on comptait près de deux millions de chômeurs en Angleterre.

Quand j'arrivais à Newcastle-upon-Tyne, la ville entière était en chômage. Les chantiers navals, dont les bâtiments étaient à moitié écroulés, ressemblaient à des ruines de guerre. Entre les rails enchevêtrés et rouillés poussaient de l'herbe folle et quelques fleurs. J'avais l'impression de visiter un cimetière. Les allocations versées aux chômeurs les empêchaient tout juste de mourir de faim, eux et leurs familles. Je photographiai des hommes misérables, affaiblis et en loques, réduits à l'inaction depuis des années. A Witton Park, dans la ville de Bishop Auckland, ma caméra enregistra des familles de plus de huit personnes qui vivaient dans une seule chambre. Les visages des femmes étaient ravagés. Elles ne savaient pas comment payer le loyer, nourrir leurs familles. Que deviendront leurs enfants ? me répétaient-elles avec désespoir.

A la même époque éclata le scandale Simpson : le roi Édouard était amoureux d'une Américaine divorcée. La presse entière se déchaînait contre lui. La morale anglaise, encore imprégnée d'une rigueur victorienne ne pouvait admettre qu'il fît de Mrs Simpson une reine. Tel était le scandale que le roi préféra abdiquer.

Toute l'Amérique était profondément offensée par l'attitude de l'opinion publique anglaise. *Life* publia mon reportage sous

le titre anodin : *Ce qu'un Anglais entend par pays en détresse.*
Avec mes images de misère populaire, on avait publié une page
tout entière occupée par une photo de la reine en robe de dentelle,
couverte de bijoux, un collier de quatre rangées de perles au cou,
tenant sur ses genoux l'un de ses petits-fils, et entourée des
princesses Elisabeth, la reine actuelle, et Margaret-Rose, ravis-
santes toutes les deux dans leurs robes immaculées. La brutalité
du contraste rendait toute légende inutile, Mrs. Simpson était
vengée aux yeux de l'Amérique libérale.

Voici un autre exemple qui montre comment on peut faire
de la publicité à travers un reportage sans dire son nom. Au
Canada, le service militaire n'est pas obligatoire. Pour encourager des jeunes gens et des jeunes filles à s'engager dans l'armée,
celle-ci faisait dans les années cinquante une grande publicité
par affiches, toutes conçues dans le même esprit : identifier le
service militaire au tourisme : « Engagez-vous dans l'armée
et vous verrez du pays. » *Weekend magazine*, complément domi-
nical de toute une chaîne de journaux canadiens et qui tire à
des millions d'exemplaires, dépêcha pour rédiger l'article, un
de ses meilleurs journalistes en Europe; j'étais chargée des photos.
Dès notre arrivée à Zweibrucken en Allemagne où était stationnée
la base de la R.C.A.F., le journaliste me conseilla de me rendre
dans les bâtiments des jeunes filles. « Regardez-les bien et choi-
sissez celle qui représente le mieux le type idéal de la jeune Canadienne; une jeune fille bien de chez nous, avec laquelle des parents
peuvent identifier leur fille, des frères leur sœur, etc. »

La jeune personne qui me sembla le mieux correspondre à
ces exigences s'appelait Sonia Nichols. Simple, souriante, photogénique, elle avait les cheveux blonds et les yeux bleus. Elle
devint donc l'héroïne du reportage qui parut quelques semaines
plus tard dans *Weekend magazine* sous le titre *Airwomen Over-
seas*. Le journaliste racontait que Sonia, vingt ans, née à Ber-
wick, N.S. n'avait jamais eu l'occasion de quitter sa ville natale
avant de rejoindre la R.C.A.F. Mais depuis qu'elle était dans
l'armée, elle avait parcouru une bonne partie de son pays, voyagé
en Allemagne, visité Paris et la Suisse. Avant la fin de son engage-
ment, elle connaîtrait sans doute encore l'Italie et les pays scan-
dinaves. A la base, elle apprenait des langues étrangères, fré-
quentait les gens du pays, sortait avec des camarades pour

visiter la campagne et les lieux de distraction. Elle faisait du sport dans un gymnase ultra-moderne, nageait dans une belle piscine. En somme, la vie de Sonia était devenue passionnante et pleine d'expériences qu'elle n'aurait jamais pu vivre autrement.

Mes photos illustraient ce texte sur plusieurs pages. Sonia tenant dans ses bras le bébé de « Frau Else Gratz dans l'appartement de cette dernière », buvant de la bière dans un « Biergarten » en compagnie de camarades, nageant dans la piscine, jouant au basket-ball, se promenant à la campagne, étudiant la vie des paysans, etc. Toutes ces photos étaient en noir, sauf une image où Sonia était en conversation avec un jeune soldat, assis sur une petite voiture de transport. La légende portait simplement : « Avec A.C.I. Peter Colliver, Streetville, Ont. qui amène un sabre-jet sur la piste. » La photo suggérait évidemment les rencontres que les jeunes peuvent faire aux armées et les incitaient à des rêveries sentimentales. A en juger d'après mes photos, prises sur les indications du journaliste canadien, la vie dans l'armée était une vraie partie de plaisir. Je n'avais pourtant pas omis de photographier Sonia à son travail de secrétaire, mais l'éditeur avait écarté cette série d'images. La photo de couverture, en couleur, montrait sur le fond bleu du ciel une Sonia souriante, en uniforme, faisant le salut militaire.

Au Canada, elle fut la célébrité de la semaine, reçut d'innombrables lettres, plusieurs demandes en mariage, et l'armée canadienne put enregistrer nombre d'engagements. Ce reportage était ce que Daniel J. Boorstin appelle un pseudo-événement et Sonia une pseudo-célébrité, créée de toutes pièces pour le besoin de la cause [154].

Quand on veut ridiculiser un personnage politique, il suffit de montrer de lui des photos désavantageuses. L'homme le plus intelligent peut paraître idiot s'il est photographié la bouche grande ouverte, ou clignant de l'œil. Voici un exemple.

En octobre 1969, le *New York Times* publiait dans son supplément littéraire un long article sur le livre *Selfportrait U.S.A.* de David Douglas Duncan, un des grands photographes américains. Cet album contient plus de 300 photos, faites pendant les congrès des deux grands partis politiques américains. Ils étaient réunis, républicains d'un côté et démocrates de l'autre, pour élire l'homme à présenter aux prochaines élections prési-

dentielles. L'article était illustré par quatre photos de Richard
Nixon, candidat du parti républicain, prises dans l'ouvrage. On
avait choisi les plus désavantageuses, le *New York Times* étant
opposé à sa candidature. Sorties du contexte du livre, elles le
faisaient paraître stupide et antipathique. Le commentaire du
critique était le suivant : dans ce livre « il y a peut-être une douzaine de Richard Nixon qui, d'après ma connaissance, n'ont
jamais encore été montrés, et pourtant Nixon et Duncan, tous les
deux lieutenants de marine (pendant la guerre) aux îles Salomon,
sont vite devenus des amis. C'est pourquoi Duncan, et seulement
Duncan, avait son entrée en toutes circonstances dans la maison
de Nixon à Miami Beach et la possibilité de le photographier.
En étudiant ces photos, des historiens apprendront autant sur
lui, sinon plus, qu'en consultant des tonnes de correspondance [155] ». Ce que le critique ne mentionnait pas était le fait
que ces quatre photos, volontairement choisies par lui pour
illustrer son article, étaient contrebalancées dans l'album de
Duncan par d'autres photos de Nixon, le montrant dans des poses
avantageuses. On rend un personnage sympathique, antipathique
ou ridicule selon l'angle de vue sous lequel il est pris. Une photographie du général de Gaulle d'en haut, allongeait son nez,
prise d'en bas, il avait un menton énorme et plus de front. L'utilisation de l'image photographique devient un problème éthique
dès lors qu'on peut s'en servir délibérément pour falsifier les faits.

En juin 1966, *Paris-Match*, tirant à cette époque à plus de
1 200 000 exemplaires, publiait sur huit pages un grand reportage
intitulé : « Chez les nazis 66 ». On s'attendait alors à un succès
du parti d'extrême-droite allemand, le N.P.D. (parti national
démocrate), aux élections provinciales qui devaient avoir lieu
un mois plus tard. Vingt ans s'étaient écoulés depuis la guerre,
mais les Français étaient encore traumatisés par les atrocités
des nazis, et l'existence d'un parti qui regroupait surtout les
nostalgiques du Troisième Reich apparaissait comme une menace.
Le sujet touchait donc à la grande actualité, et la rédaction de
l'illustré le jugeait si important qu'elle l'annonçait en couverture.

Le reportage débutait par une pleine page en couleur, représentant un garçon debout, le brassard à croix gammée sur la
chemise blanche, qui levait son verre vers trois autres jeunes
gens. Au mur du fond, un immense drapeau nazi. La légende

disait : « Nazi-party en Bavière, ils sortent les reliques du Reich, et, tout en buvant de la bière « ils » reprennent en chœur *Horst Wessel Lied* ». Les pages suivantes offraient quelques images des habitants d'un village en Bavière et de son maire; les légendes expliquaient qu'il s'agissait d'anciens nazis, ce que rien ne permettait de supposer d'après les seules photos; suivaient quelques photos du fondateur du nouveau parti et, pour finir, une autre image « choc », étalée sur deux pages, en blanc et noir : des jeunes gens en uniforme SS avec la légende : « Chez Peter Breuer, un Munichois qui possède une collection de quatre cents uniformes SS et SA, un nostalgique du Troisième Reich salue le buste d'Hitler. » En Angleterre, le *Daily Express* (plus de quatre millions d'exemplaires) reproduisait quelques jours plus tard la première photographie choc, et en Union soviétique l'image, montrée à la télévision, toucha un public de 100 millions de spectateurs.

Or, ces deux images étaient des faux. Un des rédacteurs de *Paris-Match* les avait obtenues en louant des costumes chez un prêteur du nom de Breuer. Quelques jeunes Allemands avaient accepté de poser devant le reporter, persuadés qu'il s'agissait d'une farce. Le groupe d'hommes qui levaient leurs verres de bière étaient les pompiers d'un village bavarois auxquels le rédacteur de l'illustré français avait payé un tonneau de bière et qui avaient cru boire à l'amitié franco-allemande. Le gouvernement allemand protesta dans la presse allemande; d'innombrables articles dénoncèrent en détail la supercherie, mais *Paris-Match* ne démentait jamais et des millions de Français, d'Anglais et de Russes avaient vu les photos et les avaient prises pour des images authentiques.

En été 1975 eut lieu une autre affaire qui fit grand bruit. Lors d'une grève aux usines Chausson, des journaux avaient publié à la une des photos représentant des hommes guidant des chiens de garde avec la légende « Des policiers avec des chiens dressés à l'intérieur de l'usine pour attaquer les grévistes ». Plus tard on apprenait qu'il s'agissait d'images prises dans un gardiennage et à la Foire de Paris.

On peut falsifier une photo en n'en publiant qu'une partie ou en se servant d'un pinceau, de la retouche et d'une paire de ciseaux. Quelques exemples de ce genre de falsification furent publiés dans la revue *Photo* en juin 1970. Il s'agissait en l'occurrence de photos tchèques. Dans un des documents on avait enlevé sur le cliché original Alexandre Dubcek, tombé en disgrâce à la suite de la « normalisation » de la Tchécoslovaquie. On ne pouvait donc plus le montrer à côté du président Svoboda, répondant aux saluts de la foule. Seules les dalles qui ne se joignent pas et l'avancée étrange d'un bâtiment témoignent de la falsification. La revue indiquait, à l'aide de dessins, comment la photo avait été truquée.

Pendant les deux guerres mondiales, la presse allemande, aussi bien que la presse des Alliés, était remplie de photographies truquées. De préférence, on ne publiait que des photos encourageantes et soigneusement choisies. Les censeurs respectifs ne supprimaient pas seulement celles qui auraient pu nuire à la défense : usines camouflées, fortifications, emplacements de batteries, mais aussi les images qui montraient les destructions et les souffrances causées par leurs propres armées dans les pays ennemis. John Morris, qui était pendant la dernière guerre l'éditeur des photos de *Life* à Londres, écrit dans un article, publié dans *Harper's Magazine* en septembre 1972 : « Les visages de ceux qui étaient sérieusement blessés et des morts étaient tabous pour que les « proches » ne soient pas choqués. Finalement, et ceci est capital pour comprendre comment l'opinion publique fut façonnée, les photographes ne fixaient pas sur la pellicule les aspects affreux de la guerre, causés par nos armes chez l'adversaire. Je me souviens de la candeur du censeur britannique quand j'ai voulu envoyer à *Life* quelques photos qui montraient les victimes des attaques aériennes sur Berlin. « Très intéressant me dit-il, vous pourrez vous en servir après la guerre. » Ce n'était évidemment pas la candeur du censeur, mais un acte parfaitement réfléchi pour empêcher la publication de photos à même d'éveiller les consciences et de rendre la guerre impopulaire. Il ne fallait pas montrer des images qui auraient pu nuire à l'effort de guerre. L'endoctrinement des photographes eux-mêmes était si fort qu'ils étaient persuadés de lutter pour une cause juste en se censurant eux-mêmes et ils ne photographiaient que des scènes qui ne paraissaient pas défavorables aux pays qu'ils représentaient. « Le procédé standard durant la seconde guerre mondiale était de montrer que notre manière de nous battre était propre : les bombes qui s'en allaient en plein soleil durant des raids de jour. Nous avions le droit de montrer un peu de souffrance, causée par *leurs* attaques, mais jamais trop, pour ne pas éveiller la pitié. L'autre côte était guidé par des lois similaires. Vous ne trouverez pas une photographie montrant Hitler inspectant les chambres à gaz d'un camp de concentration. Les Japonais ne voyaient pas d'images montrant les hommes qui furent écrasés à Pearl Harbour; ils voyaient les images de leur victoire par des photographies aériennes. De la même façon nous avons photographié le champignon photogénique de la bombe à Hiroshima [156]. »

Cet état d'esprit change seulement quand la guerre devient ouvertement impopulaire. John Morris constate que cet état d'esprit se manifeste à partir de la guerre de Corée, « où les photographes se voyaient confrontés à une tragédie double, celle des G.I. américains qui devaient combattre dans une guerre qu'ils ne comprenaient pas, et un peuple déchiré dans une guerre fratricide [157] ». Le conflit est à son comble avec la guerre du Vietnam et déchire l'opinion publique en Amérique. La photographie et la télévision ont joué un rôle capital pour éveiller les consciences. En Amérique il n'y a pas de censure. Durant les deux guerres mondiales, les photographes s'étaient censurés eux-mêmes, parce qu'ils croyaient se battre pour une cause juste. Mais au fur et à mesure que les années passent et que la destruction du Vietnam par l'aviation américaine devient de plus en plus terrible, les photographes de presse, sur place, sont de plus en plus bouleversés. Ceux d'entre eux qui n'étaient pas américains avaient encore moins de raisons de croire en cette guerre. Ils furent les premiers à la dénoncer avec leurs images. Les photos déchirantes qui furent imprimées dans la presse et dans les illustrés, les nombreux albums de photos qui montraient la misère des populations civiles, mais aussi la misère des G.I. et leurs souffrances endurées dans ce pays ont rendu l'Américain conscient de l'atrocité de cette guerre dans laquelle son gouvernement était intervenu « pour préserver la principale source mondiale de caoutchouc naturel et d'étain et d'autres matières premières stratégiques qui se trouvent dans le Sud-Est asiatique [158] ».

PHOTOGRAPHIES DE GUERRE

La guerre de Crimée : une partie de plaisir (Roger Fenton, 1855).
La Guerre de Sécession : la vraie guerre (Timothy O' Sullivan, Gettysburg en 1863).
Les bêtes meurent comme les hommes (A.-J. Russell, 1863).

La guerre civile espagnole (Robert Capa, 1936).   Au ghetto de Varsovie (1943).

La guerre du Viet█

nh Cong, 1972).

La photographie et la loi

A toutes les difficultés de trouver un emploi s'ajoutent, pour les photographes de presse, les luttes continuelles pour défendre leurs droits. Le droit de reproduction d'une photographie est protégé par la loi, mais celle-ci varie d'un pays à l'autre. Il n'existe pas un *copyright* international qui protège automatiquement le droit sur une photographie dans le monde entier. La convention internationale du *copyright* à laquelle ont souscrit jusqu'en 1971 soixante-deux pays, et l'U.R.S.S. depuis février 1973, garantit seulement l'application de la loi aux étrangers, mais ne prend pas en considération celle du pays du photographe.

En France, la loi du 11 mars 1957 assimile la photographie aux œuvres de l'esprit et la protège pour une durée de cinquante ans après la mort de l'auteur. A cette durée s'ajoutent les années des deux guerres mondiales et, dans certains cas, la protection peut encore être étendue.

En Amérique, un photographe ne peut jouir de son droit exclusif que si, sur chaque épreuve, figure la mention de réserve, c'est-à-dire le © suivi du nom de l'auteur. La durée du droit est de vingt-huit ans à compter de la première publication, mais l'auteur ou ses héritiers peuvent demander le bénéfice d'un second délai de vingt-huit ans. Cette loi doit être prochainement révisée.

En Allemagne Fédérale, la loi est encore différente. Une photographie est automatiquement protégée pour une durée de vingt-cinq ans, à partir du moment où elle a été prise. Si elle est publiée, elle est encore protégée pour vingt-cinq ans à partir de la première publication. Après cette date, elle tombe dans le domaine public.

En Russie, d'après le décret du 21 février 1973, le droit d'auteur s'applique pendant toute la vie de l'auteur et vingt-cinq années

Une photographie contestée (Robert Doisneau, 1958).

après sa mort. Cependant la législation des Républiques fédérées peut restreindre le délai d'application du droit d'auteur protégeant les œuvres photographiques. Mais la durée de protection ne peut être inférieure à dix ans à compter de la date de première publication par reproduction. C'est-à-dire, que si une photographie est considérée d'utilité publique ou dans l'intérêt de la culture, elle peut être publiée dix ans après la date de sa première publication, sans versement de droit d'auteur.

La situation actuelle est chaotique. Même dans les pays où les droits sont clairement définis par la loi, ceux-ci sont continuellement ignorés. En France, par exemple, la photographie est défendue contre toutes les malfaçons et utilisations abusives, comme les contretypes, la revente sans autorisation, etc. La loi rappelle expressément dans son article 6 que « l'auteur jouit du droit au respect de son nom, de sa qualité et de son œuvre ». Mais un grand nombre de journaux omettent systématiquement, sous les photographies, le nom de ceux qui ne sont pas photographes de la maison. Certains offrent en dédommagement un prix double du tarif en vigueur. Ce n'est pourtant pas la vanité de voir son nom imprimé qui pousse un photographe à insister pour qu'il soit mentionné. L'omission ouvre la porte à toutes les contrefaçons possibles. Aujourd'hui, les techniques de reproduction sont tellement perfectionnées qu'on peut tirer des copies de tout. Quand il n'y a aucune indication du nom, les utilisateurs ne se sentent pas non plus obligés de payer les droits d'auteur. Or le seul revenu du photographe indépendant est la vente du droit de reproduction de ses images.

Bon nombre de journalistes, éditeurs et publicitaires considèrent l'apport du photographe à leurs publications comme négligeable, même si l'utilisation de la photo devient de plus en plus importante et est d'un puissant attrait auprès du public. Pour expliquer ce dédain des éditeurs, on pourrait invoquer une raison psychologique. L'image s'est dévalorisée depuis que des centaines de millions d'amateurs appuient tous les jours sur le bouton, même si dans la plupart des cas, la différence reste énorme entre la qualité de la photo d'amateur et celle du professionnel.

A tous ces problèmes, s'ajoute l'interprétation de la loi par les juges quand on en arrive au procès. Par exemple la reproduction d'un tableau est-elle une œuvre de l'esprit? Un photographe avait publié la reproduction d'un tableau de maître avec la permission de son propriétaire qui l'avait acheté dans une vente. Le droit de reproduction fut versé au photographe, mais les héritiers du peintre firent opposition, déclarant qu'ils avaient seuls droit sur cette photographie, même si le tableau ne leur appartenait plus. Le jugement fut rendu en leur faveur, car il faut distinguer entre le droit de reproduction et les frais de reproduction. Certaines agences vendent des photos sous leur nom propre et encaissent les droits, bien que ces photos soient tombées depuis longtemps dans le domaine public. Dans ce cas les agences, d'après la loi, ont seulement le droit de se faire payer les frais de reproduction et un bénéfice en rapport avec ces frais. Aussi longtemps que les éditeurs, en méconnaissance de la loi, accepteront de verser des droits de reproduction pour des photos tombées dans le domaine public, des agences peu scrupuleuses en profiteront.

Maints procès furent déclenchés par des personnes, photographiées dans la rue ou dans d'autres endroits considérés publics tels que restaurants, théâtres, etc. La loi en effet protège le *droit de la personne*. Par contre les personnalités de la vie publique ne peuvent pas s'opposer à ce que leur image soit publiée. A cette catégorie appartiennent tous les hommes d'État et les grands artistes, publiquement connus. Mais qui décide de l'importance d'un personnage? Évidemment le juge et son interprétation de la loi. Ce sont des problèmes difficiles en matière de jurisprudence, et qui compliquent singulièrement le travail du reporter photographe.

Le photographe Robert Doisneau vit ainsi une de ses photos utilisée à contresens. Pour lui, les sujets les plus fascinants ont toujours été les Parisiens. Il aime flâner dans les rues et s'arrêter dans les bistrots. Un jour, dans un petit café de la rue de Seine, où il a l'habitude de rencontrer des amis, il aperçoit une ravissante jeune fille en train de boire un verre de vin au comptoir, à côté d'un monsieur d'un certain âge qui la regarde avec un sourire à la fois amusé et gourmand. Doisneau demande aux deux la permission de les photographier. Ils acceptent. La photo * *p. 170 paraît dans la revue *le Point*, dans un numéro consacré aux bistrots, illustré par les photographies de Doisneau [159]. Il remet cette photo, parmi d'autres, à son agence.

Quand les journaux ont besoin d'images pour illustrer un article, ils s'adressent aux agences. Peu de temps après, cette photo paraît dans un petit journal, édité par la ligue contre l'alcoolisme pour illustrer un article sur l'action malfaisante des boissons alcooliques. Le monsieur, qui est professeur de dessin, n'est pas content : « Je vais passer pour un poivrot » se plaint-il auprès du photographe qui lui exprime ses regrets. Il ne lui est pas possible de surveiller l'usage qu'on fait de ses photos. Mais les choses prennent une mauvaise tournure quand la même photo paraît dans une revue à scandales qui l'a contretypée dans la revue *le Point*, sans permission ni de l'agence ni du photographe. La légende qui accompagne la photo dit : « Prostitution aux Champs-Elysées. » Cette fois-ci, le professeur de dessin est furieux et intente un procès à l'illustré, à l'agence et au photographe. Le tribunal condamne l'illustré pour malfaçon à une forte somme. Il condamne aussi l'agence qui n'a pourtant pas donné cette photo. Le photographe est acquitté. Il est considéré par le tribunal comme « un artiste irresponsable ».

L'histoire a un épilogue. Un journaliste bien pensant, correspondant parisien d'un journal du Midi, publie un article dans lequel il raconte l'histoire et attaque violemment le photographe en lui reprochant d'être un de ceux qui se cachent derrière les rideaux pour faire des photos scandaleuses [160]. Doisneau n'est pas de ceux-là, mais ce genre de photographes existe, on les appelle des *paparazzi*.

De nombreuses erreurs sont commises tous les jours par la presse et l'édition dans l'utilisation de photos qui ne correspondent pas du tout au sujet qu'on veut illustrer. Ainsi un éditeur allemand me demandait un jour une photo en couleur d'une Indienne pour la couverture d'un de ses livres, sans spécifier de quel genre d'Indienne il s'agissait. Je lui envoyai la photo d'une très belle Mexicaine. Quel ne fut pas mon étonnement quand je vis plus tard cette image en couverture d'un livre sur les Indes. J'avais pourtant clairement indiqué qu'il s'agissait d'une belle créature du Mexique.

Un grand nombre de procès furent entamés à la suite de litiges entre photographes et utilisateurs. En voici quelques exemples : une grande photographie en couleur, représentant le général de Gaulle et publiée dans *Paris-Match*, avait été imitée par un dessinateur et reproduite sur des vignettes en or. Elles furent vendues en grand nombre dans le commerce. La contrefaçon fut admise et une indemnité à l'amiable payée au photographe. Récemment, un photographe voyait à la télévision la présentation d'un album pour enfants dont la première page comportait une peinture, reproduisant une photo créée par lui. Il aurait fallu l'autorisation du photographe pour la peinture aussi bien que pour sa représentation. Cette affaire fut aussi amiablement réglée. Un grand hebdomadaire avait oublié de mentionner expréssement le nom de l'auteur sous les photos d'un reportage important. Le tribunal de Grande Instance de Paris (7 avril 1967), jugeant que le fait de faire figurer le nom du photographe, parmi d'autres noms de photographes et d'agences, à la fin de l'article, ne permettait pas d'identifier exactement et correctement l'auteur de chacun des clichés, a condamné l'hebdomadaire. Dans un autre cas, un producteur célèbre avait utilisé pour un film des clichés, œuvres de reporters photographes, sans en avoir demandé la permission et sans mentionner leurs noms. Le tribunal (jugement du 13 décembre 1968) condamna le producteur à verser des sommes importantes aux photographes en dommages et intérêts et rappela, dans sa condamnation, que les photographes en tant qu'auteurs avaient droit au respect de leur nom, que celui-ci devait figurer, soit sur le cliché, soit par addition au générique. Dans un autre cas, le tribunal reconnaissait, comme une atteinte à l'intégrité de l'œuvre et au droit de l'auteur au respect de son nom, l'utilisation de photographies aériennes sous forme d'affiches, sans mention de la provenance et du nom de l'auteur. Un autre photographe reprochait à un journal d'avoir utilisé ses photos sans signature et de les avoir revendues à d'autres publications sans autorisation ni mention. La Cour de Paris (arrêté du 17 mai 1969) estimant que non seulement le journal avait porté atteinte aux droits pécuniaires du photographe, mais avait méconnu son droit moral, en le mettant dans l'impossibilité d'exiger que son nom soit indiqué à l'occasion de la nouvelle reprodution, prononça une condamnation.

La presse à scandales

Dans les années 50 les revues à scandale commencent à devenir extrêmement populaires en Italie et donnent naissance à une nouvelle race de photographes : les *paparazzi*. Ils se servent de téléobjectifs, pour surprendre des gens dans leur vie privée. Les téléobjectifs qui permettent d'approcher des sujets qu'on veut photographier à distance furent extrêmement perfectionnés durant la dernière guerre pour espionner l'ennemi. L'armée allemande s'en servait par exemple pour filmer les côtes anglaises. Ils furent encore plus perfectionnés par la science spatiale. Fellini montre ces photographes à l'œuvre dans son film la *Dolce vita*, qui stigmatise une certaine société romaine, oisive et dépravée. La presse à sensation, la *Regenbogenpresse* (presse de l'arc-en-ciel comme on l'appelle en Allemagne où elle fait rage) existe dans tous les pays capitalistes. Dans les pays socialistes elle ne peut pas s'imprimer, considérée comme immorale. En France, il y a aussi des journaux de ce genre, tels que *France-Dimanche*, *Ici-Paris* ou *Noir et Blanc*. Cette presse ne vit que d'histoires d'amour et de cancans et a constamment besoin de photos qu'elle paye chèrement. Les sujets de ces articles sont surtout les actrices de cinéma, Liz Taylor, Brigitte Bardot, Zsa Zsa Gabor, etc., les riches hommes d'affaires comme Patino, roi de l'étain ou Aristoteles Onassis, les princesses comme Soraya, Margaret d'Angleterre, Grace Kelly, épouse du prince Rainier, Farah Diba, et aussi les play-boys. Ces milieux sont continuellement surveillés par les paparazzi, postés, « planqués » jour et nuit devant leurs maisons, les hôtels et les boîtes de nuit à la mode, où ils ont le plus de chance de surprendre leurs proies. Cette presse a des millions de lecteurs avides, surtout des femmes. Connaître les histoires d'amour et la vie intime de gens célèbres et fortunés permet de rêver et d'oublier sa propre existence, souvent médiocre. Cette presse joue aussi le rôle d'exutoire à toute la haine née des difficultés de la vie, car même si les gens veulent être informés sur la vie de ces milieux, ils les détestent.

Dans bien des cas, les photographes, spécialistes de ce genre de reportages, font leurs photos avec le consentement des personnes impliquées. Quand un photographe est bien connu dans ce milieu, il est souvent prévenu d'un événement, d'une rencontre, d'une présence à un certain endroit, par les personnes mêmes ou par leur agent de publicité ou chargé de presse. Rares sont ceux qui vont jusqu'au procès. L'acteur Samy Frey assignait *Ici-Paris* en diffamation pour une série d'articles, illustrés de photos, faites contre sa volonté, dans lesquels on l'accusait de « détruire » B.B. [161]. Jacqueline Kennedy eut à se défendre en 1971 contre le photographe Ronald E. Galella qu'elle assignait devant le tribunal pour échapper à la chasse dont elle et ses enfants étaient le continuel objet. Dans une déposition devant le juge, son fils John F. Kennedy Jr., âgé de 11 ans, déclarait que le photographe Galella « m'a assailli, s'est mis dans mon chemin, a déchargé des flashes dans mon visage ». « Je ne me sens pas en sécurité quand il est près de moi » renchérit sa sœur Caroline, 14 ans. Le photographe, de son côté, assignait Jacqueline Kennedy et trois agents secrets, ses gardes du corps, pour la somme de 1 300 000 dollars, sous le prétexte qu'ils l'empêchaient de gagner sa vie. « Je ne veux pas les embêter, répondit-il au juge, je cherche des images spontanées, des photos qui ne sont pas posées. C'est ce que j'appelle ma façon, à la paparazzi, de faire des photos [162]. » Le juge décida que Galella devait se tenir à l'avenir à plus de 45 mètres de Mme Onassis et de ses enfants.

En 1972, Jackie Kennedy Onassis fut une fois de plus victime des paparazzi. *Playmen*, magazine érotique italien pour hommes, publiait 14 photos d'elle qui firent sensation. Les 750 000 exemplaires de ce numéro furent enlevés en 24 heures. Malgré toutes les précautions prises pour empêcher les paparazzi de s'approcher de l'île Scorpios où Onassis possédait une immense propriété, protégée par des gardiens armés et une flottille de vedettes, des photographes en tenue de plongée, munis de téléobjectifs, avaient réussi à surprendre Jackie en train de prendre des bains de soleil en tenue d'Ève. « Quel beau corps! Quelle jolie femme! » s'exclamait Mme Tattilo, éditrice de *Playmen* en se décidant à publier ces documents. Cette fois-là, Jackie ne fit même pas l'effort d'intenter un procès, car ces photos furent ensuite publiées dans la presse à scandales du monde entier (sauf dans *Playboy* qui les avait refusées!). Même des magazines qui ne se considèrent point comme des publications érotiques ou de scandale, comme *Paris-Match*, profitèrent de l'occasion. Aujourd'hui les magazines sont pleins de jolies filles toutes nues, mais voir dans cette tenue l'ancienne épouse d'un président des États-Unis, mort tragiquement, avait de quoi choquer et faire scandale.

Sous le label « Naturisme », on pouvait acheter dans les années trente des revues pleines de nus. On les trouvait dans chaque kiosque à journaux, mais les vendeurs ne les mettaient jamais en évidence. (En France, la reproduction photographique du corps nu est punie par la loi si un juge la considère indécente.) A partir des années cinquante, avec la lente disparition des tabous sexuels, des revues de ce genre commençaient à se multiplier partout. La plus célèbre, *Playboy*, fut inventée en Amérique par Hugh M. Hefner, fils d'un prédicateur; il avait alors 27 ans. Le premier numéro n'était pas daté quand il parut en décembre 1953, car Hefner n'avait pas d'argent. Il avait emprunté 11 000 dollars et devait attendre que ce premier numéro soit épuisé pour pouvoir fabriquer le second [163]. Dès le début, il introduisit la *Playmate*, reproduction photographique d'une jeune femme toute nue. Marilyn Monroe fut la première de ces beautés et ses formes opulentes inspirèrent le choix de toutes les filles qui lui succédèrent. Pour Hefner, Marilyn représentait le « sexe naturel ».

« Si la succession de filles nues, publiées durant les dix-huit années d'existence de *Playboy* pouvaient se transformer en une seule, elle pèserait onze tonnes et demie et aurait une taille de 18 105 centimètres », déclarait A.C. Spectorsky, éditeur en chef de *Playboy* en 1971 [164].

Playboy ne s'adresse qu'aux hommes et était lu vers la fin de 1972 par sept millions d'entre eux. Son grand succès consiste dans la combinaison de deux aspirations des classes moyennes en Amérique : le désir sexuel et le désir de promotion sociale. En étudiant *Playboy*, on est assuré d'une promotion sociale si l'on suit ses conseils, sur la façon de s'habiller par exemple. Dès ses débuts, *Playboy* suggérait à ses lecteurs que leur garde-robe devrait inclure au moins sept à dix chemises « supposant que vous changiez de chemise tous les jours, une pratique que nous recommandons [165] ». En automne 1971, les lecteurs apprenaient que dans la mode « le cuir est encore roi ».

Les problèmes sexuels sont traités dans le « Forum de *Playboy* », rubrique dédiée à l'échange d'idées entre lecteurs et rédaction, et qui correspond à la rubrique du cœur des magazines féminins. Les réponses et les conseils sont donnés à l'aide de la « philosophie de *Playboy* ».

Quel genre d'homme lit *Playboy*? D'après un sondage récent, 50 % des lecteurs de *Playboy* ont moins de 35 ans et gagnent plus de 15 000 dollars (75 000 F) par an. 64 % sont mariés. Le magazine est lu de préférence par des hommes qui s'ennuient dans leur ménage ou qui n'ont pas d'intérêts particuliers. L'attraction du magazine consiste surtout dans la dissemblance entre sa description de la vie et celle de ses lecteurs, car la vie décrite par *Playboy* est entièrement imaginée, une sorte de combinaison entre aspirations sociales et désirs sexuels de la clientèle. La publicité dans *Playboy* est significative. Elle représente de préférence de beaux jeunes gens élégamment vêtus, photographiés près de voitures puissantes ou de yachts, généralement sous les regards admiratifs de jolies filles.

> « *Oui*, le monde dit *Oui* à l'or de Benson & Hedges.
> Avez-vous déjà dit *Oui*? »

Cette publicité pour une marque de cigarettes est illustrée par une photo en couleur, représentant un jeune bellâtre devant un jeu d'échecs (symbole de l'intelligence) qui regarde un paquet ouvert de cigarettes qu'il tient dans une main. Une jeune fille s'appuie sur son épaule et suit son regard. Ou encore cette photographie, représentant les corps nus enlacés d'un jeune homme et d'une jeune fille à la poitrine opulente bien en vue, qui illustre une publicité pour une chaîne de stéréo. (Numéro de janvier 1973.)

L'attrait de *Playboy* consiste avant tout à parler de sexe et à illustrer abondamment le sujet. Le numéro de janvier 1973 se composait de 260 pages dont 78 de publicité. Parmi les illustrations il y avait 41 photos de nus, 12 dessins et caricatures pornographiques, un ensemble de dessins étalés sur sept pages par l'artiste Charles Bragg, illustrant l'Apocalypse dans un style érotique, des photographies de nus d'un film *le Sens de la vie*, « avec une abondance de chair et de fantaisie », ajoutait la rédaction, et les célèbres bandes dessinées érotiques. Dans ce numéro du nouvel an 1973 furent reproduites les photos des *Playmates* de chaque mois de l'année écoulée. Sous chaque image de ces jeunes personnes en costume d'Ève – certaines d'entre elles étaient aussi photographiées « en civil » – étaient indiqués les noms, situations et aspirations. Nous apprenions ainsi que Miss March 1972, Ellen Michaels, a obtenu son diplôme universitaire en art au Queensborough College et a arrêté ses études pour le moment, mais fera son BA (bachelor of Arts) : « Je finirai sans doute enseignante, explique-t-elle, mais actuellement je me sens encouragée à être modèle à New York... » Miss August, Linda Sommers, a abandonné son travail dans les magasins de produits de santé de son beau-père en faveur d'une nouvelle vocation : elle apprend le métier de vendeuse de terrains à Chula Vista, en Californie...

Toutes les *Playmates* de *Playboy* sont issues de familles honorables qui ne trouvent sans doute rien à dire à ce qu'un de leurs membres soit photographié tout nu et exposé aux regards de millions d'hommes.

A quel degré le magazine est en effet considéré comme respectable se mesure au nombre d'écrivains et de journalistes célèbres qui contribuent par leurs textes et interviews à la revue, tels que Vladimir Nabokov, Jean-Paul Sartre, Alberto Moravia, John Kenneth Galbraith, célèbre économiste, ancien ambassadeur et professeur à Harvard, etc. Même l'Église catholique se sert de *Playboy* pour faire du prosélytisme. C'est ainsi que le Père Joseph Lupo de Pikesville, Maryland, appartenant à l'Ordre Catholique de la Sainte Trinité, a mis en 1971 une annonce d'une page entière dans le magazine (coût : 10 000 dollars) pour recruter des jeunes gens « conscients de leur devoir social ». Le succès fut « fantastique, inimaginable ».

Il y a vingt ans encore, l'Américain moyen aurait été profondément choqué par un magazine comme *Playboy*. Mais aujourd'hui, dans la « Société du plastique », Hugh Hefner est avec Walt

Disney considéré comme l'un des « deux grands entrepreneurs puritains de la culture du xxe siècle [166] », et *Playboy* sérieusement classé parmi les revues de style WASP (White Anglo Saxon Protestant), fondateur de l'Amérique et inventeur de l'éthique protestante. « Comment Hefner s'est-il arrangé pour être mis dans le même panier que Disney? », se demande le très sérieux journal protestant *The Christian Century* avec consternation [167].

« Hugh Hefner s'est emparé de choses que les puritains ont toujours imaginées être de la joie mais avaient pourtant refoulées. Il les a déclarées saines et valables en affirmant qu'elles représentent la liberté et l'expression de soi. Dans le passé, on pouvait se sentir fautif par le simple fait d'avoir un sexe; aujourd'hui, grâce à Hefner, on se sent fautif si l'on n'en a pas. Disney et Hefner représentent un monde clos et sans défaut, gouverné par une imagination mécanique et simpliste [168]. »

Playboy Enterprises Inc. ont fondé de nombreuses affaires : des clubs, des hôtels, une maison d'édition. Elles ont investi des capitaux dans une maison de disques, financent des films, lancent des éditions de *Playboy* en Europe. Mais déjà des magazines, copiant ses formules, ont fait leur apparition : *Penthouse* en Angleterre qui sort aussi depuis 1971 une édition américaine, *Playmen* en Italie et *Lui* en France. En 1971, dix-huit ans après le lancement de *Playboy*, Hefner offrait un million d'actions à 25 dollars chacune en Bourse, gardant pour lui-même sept millions. Sa fortune fut évaluée à près de 164 millions de dollars [169] et, à moins de 50 ans, il est aujourd'hui parmi la demi-douzaine de multimillionnaires américains *selfmademen* qui ne doivent leur succès qu'à eux-mêmes. Pourtant ces dernières années, les profits de *Playboy Enterprises Inc.* enregistrent pour la première fois depuis l'existence du magazine une perte de presque 50 %. Dans un article, publié par *Time* en août 1975, on indique que durant les premiers six mois de 1974, le magazine a dû ramener son tirage à 5,8 millions. Dans l'histoire du monde des magazines, c'est la plus grande perte en lecteurs jamais enregistrée. La crise économique et, ironiquement, le succès même de la révolution sexuelle pour laquelle *Playboy* s'est si durement battu, l'expliquent en partie. Autrefois si provocant, le magazine semble aujourd'hui curieusement vieux jeu par rapport à ses compétiteurs.

Peu de temps après la fin de la guerre, en 1946, un soldat américain assassina à Paris une prostituée après avoir passé la nuit avec elle. L'affaire fit grand bruit. Les psychiatres déclaraient que le jeune Américain, élevé dans les traditions puritaines de son pays, avait tué pour se libérer de ses sentiments de culpabilité. Le génie de Hefner, quelques années plus tard, fut de pressentir la fin des tabous sexuels en Amérique. La photographie lui paraissait un moyen parfait pour manipuler et satisfaire les désirs érotiques de ses contemporains, tout en se présentant lui-même comme le grand moralisateur de son époque.

La libération des tabous sexuels n'a pas pris les mêmes formes explosives en France que dans les pays anglo-saxons et nordiques, dominés pendant des siècles par le puritanisme protestant. Les Français ont la réputation de savoir faire l'amour et l'acte sexuel n'a jamais été considéré comme un vice en France. Par contre la morale bourgeoise y est strictement défendue par la loi. Exposer publiquement la photographie d'un derrière nu peut coûter cher. Le chanteur pop Michel Polnareff en a fait l'expérience.

Polnareff devait donner en 1972 un récital à l'Olympia, le plus grand music-hall de Paris. Avec son agent de publicité, il avait conçu une affiche, basée sur une photographie, le représentant avec des lunettes de soleil, un chapeau de femme à larges bords et une chemise en dentelle relevée, montrant son derrière nu. Six mille de ces affiches furent placardées sur les murs de Paris. La moitié des Parisiens en riaient, l'autre moitié était indignée. Un colleur d'affiches professionnel Henri Larivière, sans doute choqué par la vue du derrière du chanteur, l'avait couvert d'un carré blanc en imitant la télévision française qui désigne ainsi aux parents des films, jugés nuisibles pour la jeunesse.

Polnareff fut cité devant le juge et accusé d'exhiber une affiche avec une photographie indécente. Le dialogue entre l'autorité judiciaire et le chanteur fut digne de Courteline. En voici un extrait :

JUGE : « Ainsi vous vouliez faire un effet particulier de publicité en choquant le bon bourgeois ? »

POLNAREFF : « Pas du tout. C'était une blague. Je voulais uniquement faire rire. Il y a trop de morosité. » (Mot utilisé par l'ancien premier ministre Jacques Chaban-Delmas pour décrire l'atmosphère pesante de cette époque en France.)

JUGE : « En somme, vous pensez avoir trouvé un remède pour
tout ce qui va mal. »

POLNAREFF : « Pourquoi pas? L'image de mon pays ne devrait
pas être limitée aux fontaines de Versailles et au camembert. »

JUGE : « Vous considérez-vous vous-même comme un monument
historique? »

POLNAREFF : « Les gloires de la France n'appartiennent pas seulement au passé. »

JUGE : « Votre affiche était indécente. »

POLNAREFF : « Je ne le pensais pas. »

JUGE : « C'est parce que vous ne pouvez pas vous voir vous-
même. »

Après deux semaines de réflexion, le juge condamnait le chanteur à une amende de 60 000 F. (10 F par affiche), la compagnie
qui fait ses disques également à 60 000 F et son agent de presse
qui avait conçu cette photo à 30 000 F, l'ensemble atteignant la
somme considérable de 150 000 F pour avoir affiché un cul tout
nu sur les murs de Paris [170]. Aujourd'hui, cette affiche est devenue
un objet de collection.

Ce qui avait scandalisé le juge et certains Parisiens était le fait
qu'il s'agissait d'une photographie. Un dessin aurait sans doute
passé plus facilement, mais le réalisme inhérent à la photo (le
derrière du chanteur était beaucoup plus blanc que ses jambes
hâlées) avait rendu ce message publicitaire beaucoup plus agressif.

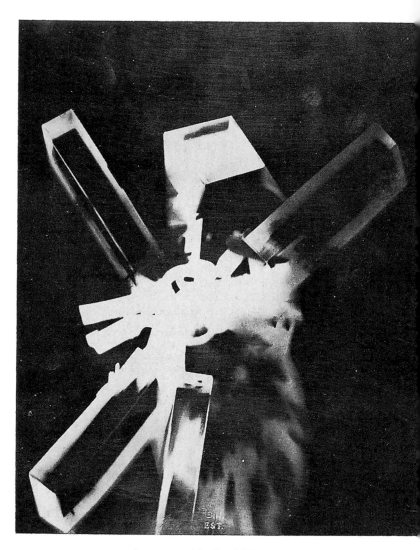

Rayogramme, Man Ray (1922).

La photographie, expression artistique

La photographie occupe aujourd'hui des dizaines de milliers de photographes professionnels. Les œuvres d'un certain nombre émergent par leur qualité documentaire, leur sens artistique et leur esprit inventif. Parmi les tendances actuelles, on peut distinguer deux grands courants : les photographes pour lesquels l'image est un moyen d'exprimer, à travers leurs propres sentiments, les préoccupations de notre temps. Ils se sentent concernés par les problèmes humains et sociaux, ce sont des engagés. Pour d'autres la photographie est un moyen de réaliser leurs aspirations artistiques personnelles. Dans les deux cas ils peuvent être créateurs ou de simples artisans, mais tous sont les descendants de ceux qui, après un demi-siècle de stagnation, ont redonné à la photographie son prestige. Ces ancêtres photographes étaient intimement mêlés aux mouvements artistiques et politiques des années vingt.

La Grande Guerre avait causé des bouleversements profonds. Ils se reflétaient dans les tendances artistiques de l'époque. Ce fut un foisonnement d'idées nouvelles et de mouvements artistiques, souvent contradictoires. En Amérique, des écrivains comme Dreiser, Upton Sinclair, Hemingway, Steinbeck et d'autres tendaient vers un réalisme vigoureux et documentaire qui reflétait la crise de conscience de ces écrivains face à la brutalité de la vie américaine. On leur reprocha souvent leur style « photographique ». En Russie, un nouvel art était né qui marquait le cinéma avec les films d'un Eisenstein et d'un Poudovkine. Les écrivains décrivaient la réalité soviétique et glorifiaient l'épopée révolutionnaire. Des photographies immensément agrandies, furent

Graffiti (Brassaï, 1945).

utilisées pour fixer à jamais l'effigie des chefs dans les esprits. En France, le mouvement surréaliste reliait les faits réels de la vie aux pulsations inconscientes. Le peintre Man Ray créa des photographies sans caméra. Faire des images en assemblant des objets sur une feuille de papier sensibilisée, exposée ensuite à la lumière, n'était pas une technique nouvelle. Man Ray redécouvre le procédé par hasard. Il baptise ces photographies d'après son nom, en les appelant rayographes. Sous l'influence des théories surréalistes, elles sont pour lui une sorte d'écriture automatique, due au hasard des objets [171].

Au début du siècle, quand des photographies commençaient à paraître dans les journaux, les gens les découpaient et les collaient dans des albums. C'étaient des compositions mécaniques, où le sens de la photographie n'était pas altéré. Les Dadaïstes pratiquent dans les années vingt le collage en assemblant des morceaux de photographies découpées avec des dessins. La photographie, séparée de son contexte, n'est pour eux qu'un moyen négatif pour attaquer l'art conventionnel. Par contre dans le photomontage, elle garde toute sa signification. Son inventeur, John Heartfield, est né en 1891 en Allemagne. Il se consacre à la peinture. Pendant la Grande Guerre, il devient un antimilitariste acharné. Pour protester contre la propagande officielle de haine déclenchée contre les Britanniques, il décide d'angliciser son nom : Helmut Herzfeld devient John Heartfield. Il se lie avec le peintre George Grosz qui dans ses dessins agressifs, d'une ironie mordante, stigmatise la société bourgeoise. Ils créent ensemble des collages dont le but est de combattre la guerre, et ensuite la république de Weimar qui a étouffé la révolution de novembre 1918. A partir de 1920, Heartfield utilise exclusivement la photographie pour démasquer le caractère réactionnaire de la classe au pouvoir. Il invente le photomontage et s'appelle lui-même *monteur*, en s'identifiant aux ouvriers qui portent des vêtements (surtout les mécaniciens et les électriciens) appelés en allemand *Monteuranzüge*. Il utilise des photographies judicieusement choisies. Chaque image a sa signification propre, mais en les juxtaposant, on crée une signification nouvelle pour l'ensemble. C'est un processus dialectique. John Heartfield s'est engagé dans les rangs de l'extrême gauche. Ses photomontages paraissent en couvertures de livres des éditions Malik à Berlin et en affiches dans les publications ouvrières. Leur effet réside dans la simplicité de leur composition qui suggère des idées compréhensibles à tous. Entre ses mains, la photographie devient une arme redoutable dans la lutte des classes [172].

Le grand théoricien de la photographie, le premier qui comprit les voies nouvelles qu'elle ouvrait dans la création, fut Laszlo Moholy-Nagy. Dans son livre : *Peinture, Photographie, Film,* publié en 1925 dans la série éditée par le Bauhaus, il décrit le chemin que prendront la photographie et l'art contemporain [173]. Plus de trente ans en avance sur son temps, il définit les mouvements artistiques qui commenceront à s'épanouir seulement durant la deuxième moitié du XXᵉ siècle. Ses conceptions sur le rôle de la photographie, fondées sur ses expériences pratiques, seront confirmées quelques années plus tard par le philosophe Walter Benjamin dans son essai sur *l'Œuvre d'art à l'ère de sa reproduction technique* et dans sa *Petite Histoire de la photographie* [174].

Moholy-Nagy est né en 1895 en Hongrie. Il fait des études juridiques qu'il abandonne vite pour se consacrer entièrement à la peinture. Il se lie au mouvement artistique d'avant-garde hongrois *Ma* (ce qui veut dire : Aujourd'hui) qui a des buts similaires au groupe l'« esprit nouveau » en France dans lequel Le Corbusier et Ozenfant révélèrent l'interdépendance entre la peinture, la sculpture et les techniques de l'industrie moderne. En 1920, Moholy arrive à Berlin et se lie au mouvement Dada. C'est à cette époque qu'il crée des photogrammes sans caméra, sans connaître les essais de Man Ray. Mais si pour ce dernier, ils sont une écriture automatique, pour Moholy la composition du photogramme est mûrement réfléchie. Chaque effet est calculé, rien n'est laissé au hasard. Son intention est d'aboutir à des formes et à des tonalités déterminées, allant du blanc au noir en passant par toutes les gammes des gris intermédiaires. En 1922, il fait une première exposition de ses peintures abstraites et de ses photogrammes dans la galerie d'avant-garde *Der Sturm* à Berlin. Walter Gropius, fondateur du Bauhaus, visite l'exposition et l'invite à enseigner dans son école d'État à Weimar. A partir du printemps 1923, il sera professeur au Bauhaus, aux côtés de Paul Klee, de Johannes Itten, d'Oskar Schlemmer et d'autres artistes. Ses idées se confondent avec l'esprit de l'école et auront une influence décisive sur l'art moderne.

Moholy est peintre, sculpteur, cinéaste et photographe. Il s'intéresse particulièrement aux problèmes de la lumière, et de la couleur. Il fait des films expérimentaux dont le plus connu porte un titre significatif *Spectacle de lumière-noir blanc gris*. En 1933, après l'avènement du nazisme, il émigre à Amsterdam, puis à Londres où il continue ses expériences avec le film en couleur, fait des affiches et des films documentaires. Il commence à expérimenter le plexiglas dans des peintures à trois dimensions qu'il appelle modulateurs de l'espace. En 1937, on lui offre la direction du nouveau Bauhaus à Chicago. Son influence sur le mouvement artistique américain est considérable. Il construit des stabiles et des mobiles. Ses expériences avec la lumière continuent à être une de ses plus grandes préoccupations. Il meurt en 1946 à Chicago de leucémie à l'âge de 51 ans.

Après un siècle de discussions pour savoir si la photographie est un art, Moholy la remet à sa place véritable. « La vieille querelle entre artistes et photographes afin de décider si la photographie est un art, est un faux problème. Il ne s'agit pas de remplacer la peinture par la photographie, mais de clarifier les relations entre la photographie et la peinture d'aujourd'hui, et de montrer que le développement de moyens techniques, issus de la révolution industrielle, a contribué matériellement à la genèse de formes nouvelles dans la création optique [175]. » Jusqu'alors, les interprétations de la photographie ont été influencées par les conceptions esthétiques et philosophiques concernant la peinture. Il s'agit de reconnaître les lois particulières de la photographie. La lumière en elle-même doit être regardée comme créatrice des formes. C'est sous cet angle qu'il faudrait juger photographie et film. La photographie ouvre des perspectives jusqu'alors inconnues, elle capte les jeux du *chiaroscuro*, emprisonne la lumière sur un morceau de papier sans interférence d'un appareil, découvre la beauté de l'image négative, etc.

Dans son livre *la Nouvelle Vision* [176] qui paraît en 1929, Moholy explique sa théorie de la graduation de la lumière, sa découverte d'angles de vues et de perspectives nouvelles qui correspondent à la technique des machines modernes. La photographie produit ses propres lois et ne dépend pas des opinions des critiques d'art; ses lois seront la seule mesure valide de ses valeurs futures. Ce qui est important est notre participation à des expériences nouvelles sur l'espace. Grâce à la photographie, l'humanité a acquis le pouvoir d'apercevoir son entourage et son existence avec des yeux neufs. Le vrai photographe a une grande responsabilité sociale. Il doit travailler avec les moyens techniques qui sont à sa disposition. Ce travail est la reproduction exacte des faits de tous les jours, sans distorsions ni adultérations. La valeur en photographie ne doit pas être mesurée seulement d'un point de vue esthétique, mais par l'intensité humaine et sociale de sa représentation optique. La photographie n'est pas seulement un moyen de découvrir la réalité. La nature, vue par la caméra, est différente de la nature vue par l'œil humain. La caméra influence notre manière de voir et crée la *nouvelle vision* [177].

Des théoriciens comme Mc Luhan se sont largement inspirés des idées de Moholy-Nagy et deux générations de photographes ont été influencées par lui, même s'ils ne connaissent pas son nom. De même que les découvertes de Freud sont entrées dans nos habitudes de juger certaines réactions humaines – l'explication des actes manqués nous semble aujourd'hui naturelle – ainsi les idées de Moholy-Nagy sont devenues inséparables de notre façon de voir. En 1925, ses contemporains prirent sa nouvelle vision pour une utopie. Aujourd'hui son langage et ses idées nous sont familiers et sont réalisés dans les manifestations de l'art contemporain.

Personne ne conteste donc plus à la photographie une place parmi les arts graphiques. Moholy avait constaté avec raison que l'image a sa propre esthétique. Sa déchéance artistique vers la fin du siècle dernier provenait de l'erreur des photographes de vouloir imiter la peinture.

Aujourd'hui, nous assistons dans la peinture à un mouvement inverse qui s'efforce de créer l'art en se servant des moyens techniques de la photographie. Il ne s'agit plus de coller une photo au milieu d'une peinture, comme l'ont fait les cubistes et les surréalistes, mais de peindre avec les yeux de la caméra. Il n'est donc pas étonnant que le public prenne ces œuvres pour des copies de photos. (Cette école n'a rien à faire avec les artistes de l'art conceptuel qui, eux aussi, se servent de la photo comme moyen d'expression, mais avec des techniques et des intentions très différentes.) Depuis toujours, les peintres se sont servis de l'image en l'utilisant comme document, mais c'est la première fois qu'on voit des peintres plagier l'œil de la caméra. On peut même affirmer que c'est grâce à cette école de peinture, qui a débuté avec des hyperréalistes, que la photographie a profité d'un intérêt accru.

Il faut toujours un certain recul pour déceler parmi la multitude des artistes de chaque génération, les véritables talents. Pour les grands photographes qui ont débuté dans les années vingt et trente, il a fallu au moins vingt ans pour qu'ils soient reconnus. C'est grâce à leur talent que la photographie a été réhabilitée comme une expression artistique valable. Ils venaient, ou du reportage photographique, ou d'un mouvement qui s'appelait « la nouvelle objectivité ». Leurs manières diverses d'interpréter leur environnement dépendait de leurs expériences. Pour ceux qui vivaient en Europe, lourdement touchée par des crises sociales, la guerre civile en Espagne et les dévastations de la dernière guerre, les sujets étaient dans la rue. Ceux qui vivaient en Amérique, même si cette dernière a connu la crise économique, eurent une manière de voir plus introspective. Aujourd'hui, ces photographes sont reconnus comme des « classiques » de la photographie moderne.

Depuis les années soixante, une nouvelle génération cherche des chemins différents. Elle essaie de s'exprimer par des séquences, des juxtapositions d'images, des photos qui évoquent des souvenirs personnels et les multiples problèmes du monde contemporain. La photo restera toujours un document, mais les préoccupations de cette nouvelle vague montrent justement la vitalité de la photographie.

Actuellement, il y a des milliers de peintres. Malgré tant de chefs-d'œuvre de la peinture à travers les siècles, ils se ne sentent pas découragés. Ils pensent pouvoir créer des formes nouvelles. Ils ont raison. Il y a des milliers de photographes professionnels, et, parmi eux, un grand nombre qui aspirent à trouver des chemins nouveaux. Ils ont également raison.

Aujourd'hui la photographie entre dans les musées avec l'approbation de ceux dont le métier est de conserver l'art. Suspendue sur leurs murs, elle récupère l'aura de l'œuvre d'art qu'elle avait perdue. Mais ce qui lui donne, avant tout, une telle actualité, c'est qu'elle est devenue pour les centaines de millions d'amateurs – la génération visuelle –, un moyen de s'exprimer.

Photogramme, Moholy Nagy (1922).

Les Photomateurs

Dès le début de la photographie, il y eut des amateurs. Mais ce n'est qu'à partir de 1888, date à laquelle George Eastman sortait le premier Kodak, que la photographie d'amateur a vraiment pris son essor. Le Kodak coûtait 25 dollars et était chargé d'un film qui permettait de faire 100 photos. Une fois les images exposées, l'appareil avec le film devaient être renvoyés à l'usine de Rochester où le film était développé, des épreuves tirées, l'appareil chargé d'une nouvelle pellicule et retourné à l'expéditeur : le tout pour 10 dollars [178]. Depuis cette époque d'innombrables modèles pour amateurs sont sortis en Amérique et en Europe, mais durant ces dernières années, les appareils et les films ont subi des améliorations révolutionnaires. La firme Kodak fut la première à saisir les possibilités d'un marché de masse.

Il y a quelques décennies, les voyages étaient le privilège d'une petite classe aisée. Aujourd'hui, grâce aux loisirs, aux congés payés et aux progrès des communications, des millions de gens se déplacent chaque année. Dans la société d'abondance, l'automobile et l'avion ne sont plus des transports de luxe.

En 1981, 220 millions de touristes ont parcouru le monde. Ils ont envahi les grandes capitales, les sites exotiques, les plages, les océans, les forêts et les montagnes. « Vingt pays en vingt jours », telle est la publicité d'une grande agence de tourisme qui vend des *package tours*. Comme les oiseaux migrateurs, on voyage en groupes compacts. Durant les mois d'été, de longues files d'autocars stationnent au pied des monuments historiques. Les touristes les visitent au pas de gymnastique. Ils parlent toutes les langues, ne se connaissent pas, mais ils ont un point commun : tous portent un appareil photo en bandoulière.

Dans les voyages organisés, tout est prévu : l'autocar s'arrête à des endroits précis, en particulier à des endroits repérés d'avance d'où l'on peut prendre des photos. Les touristes ont juste le temps de descendre et d'appuyer sur le bouton : Notre-Dame à Paris, le mont des Oliviers à Jérusalem, les pyramides en Égypte... Le lendemain ce seront d'autres monuments, d'autres sites, d'autres pays. Le touriste est devenu un objet qu'on transporte et qui subit. Mais le corps humain a ses limites et ne peut pas absorber en si peu de temps tant d'impressions nouvelles sans les mélanger. Qu'importe, une fois rentré, les photos seront développées et on se remémorera les endroits visités. Plus besoin de regarder. *L'appareil voit pour vous.* Aujourd'hui les amateurs sont devenus légion et l'industrie photographique est florissante, même si son rythme de croissance a ralenti. Ceci est dû à la crise économique mondiale. Elle débuta en 1974 avec la première augmentation du prix du pétrole. D'après le rapport Wolfman de 1982 sur l'industrie photographique, les amateurs américains ont fait, en 1980, 10 milliards 750 millions de photos dont 95 % en couleurs. Le chiffre d'affaires global pour 1980 était estimé à 14 542 000 000 de dollars (12 808 400 000 en 1979). Ce record est aussi dû à l'inflation. La photographie occupe la quatrième position dans les activités de loisirs après la Hi-Fi, la pêche et le camping. Entre 1960 et 1980 les dépenses des amateurs américains ont été multipliées par 120 !

En France, en 1981, la plupart des foyers possèdent au moins un appareil photographique. Les amateurs préfèrent de plus en plus les appareils automatiques de dimensions réduites.

La compagnie Eastman Kodak à Rochester contrôle à 70 % le marché des pellicules. C'est sa capacité remarquable de créer des produits nouveaux qui déclenche l'avalanche des amateurs. Aujourd'hui, la photographie est devenue un art populaire et les grandes firmes de l'industrie photographique multiplient en conséquence les recherches pour permettre des profits de plus en plus élevés.

Chez Kodak il y eut d'abord la boîte du Brownie en 1900. Puis après la Seconde Guerre mondiale, en 1949, la firme créa le Brownie Hawkeys, l'Instamatic en 1963 et l'Instamatic de poche en 1972. Il eut un énorme succès. En 1982 Kodak met en vente une nouvelle gamme d'appareils Kodak « Disc ». Le plus perfectionné des quatre modèles Kodak Disc ne mesure plus que 8 cm sur 13,5 cm et 3 cm d'épaisseur. Un disque remplace la pellicule en bobine dans tous ces nouveaux appareils. La firme en a vendus près de 8 millions l'année même de son apparition.

Le film en couleurs pour amateurs est d'histoire récente. Ce n'est qu'en 1937 que Kodak vendit pour la première fois le Koda-chrome et Agfa l'Agfacolor. Très peu d'amateurs les utilisaient à cette époque, car les films étaient beaucoup plus chers que la pellicule noire. Il fallait acheter en plus un projecteur pour les visionner, car c'étaient des diapositives. Les reproductions en couleurs sur papier coûtaient un prix exorbitant et ne se faisaient qu'en Amérique et en Angleterre. A quelques rares exceptions près, les professionnels non plus ne faisaient pas de couleur, car la plupart des revues ne possédaient pas encore les machines nécessaires pour l'imprimer. Ce n'est qu'après la Seconde Guerre mondiale, vers la fin des années quarante, que les revues commencent à publier régulièrement des pages en couleurs et le public stimulé s'y intéresse de plus en plus. En 1949 en Amérique, et en 1952 en France, Kodak met en vente un film négatif en couleurs, le Kodacolor, duquel on peut tirer des épreuves satisfaisantes et à bon marché. C'est à partir de ce moment que la vogue de la photo en couleurs prend son essor.

Dans la première semaine d'octobre 1982, Kodak a fait connaître sa dernière réussite, un film en couleurs de 1 000 ASA, deux fois et demi plus sensible que le meilleur film en couleurs connu jusqu'à maintenant. Il permettra de renoncer aux flashes. Il coûtera plus cher que les films Kodak actuellement en vente. Cependant, depuis cette annonce, les actions de Kodak montent en flèche à la Bourse de New York. Kodak a l'avantage de réunir, sous une même direction, la chimie, l'optique et l'électronique. Sa force est d'investir beaucoup d'argent dans la recherche, c'est-à-dire 2 millions de dollars par jour, trois fois plus que les autres grandes firmes de l'industrie photographique.

Grâce à ce nouveau film en couleurs et à la caméra à disques, Kodak est aujourd'hui à la tête des industries photographiques du monde entier. Pendant la décade précédente, en effet, les Japonais se trouvaient au premier rang. Récemment la Sony Corporation a créé l'appareil Mavica, présenté à la presse, à New York, durant l'été 1982. Cet appareil fait des photos sans film. Les images sont raccordées à un appareil vidéo qui les projette sur un écran de télévision. L'appareil fut mis en vente en 1983. La firme Kodak se voyant concurrencée dans le domaine où elle gagne le plus d'argent, celui des films, va lancer un appareil électronique similaire. Sa seule chance consiste à le vendre moins cher que les Japonais. Mais le succès de ces appareils se décidera dans l'avenir.

Enfin, une des ambitions de la firme est de s'ouvrir le marché de la Chine. Les temps ne sont pas loin où 800 millions de Chinois brandiront l'Instamatic de poche ou l'appareil à disques au lieu du *Petit Livre rouge*.

Un autre géant américain est la firme Polaroïd. Trois mois après que Kodak eut annoncé, à l'aide d'une publicité énorme, la sortie de son nouvel Instamatic de poche, appelé Instamatic 20, la firme Polaroïd faisait sensation en annonçant, elle aussi, un nouvel appareil de poche, le SX-70. En 1978, Polaroïd met en vente le SX-70 Sonar Autofocus qui ajoute la mise au point automatique instantanée, de telle manière que le photographe peut se consacrer entièrement à la composition de son image. Ce nouveau système est fondé sur la mesure des distances par écho sonar ultrasonore. En 1978 la firme a vendu ses produits pour 1 billion 400 millions de dollars. Quelqu'un qui avait acheté des actions Polaroïd en 1938 se voyait, déjà en 1972, en possession de 3 575 000 dollars [179] !

Les firmes Kodak et Polaroïd, deux mastodontes de l'industrie photographique américaine, se font une concurrence acharnée. En 1987, après des années de conflits, Polaroïd gagne le procès contre Kodak, qui doit retirer du marché les appareils copiés d'après le système SX-70. Mais ils doivent affronter ensemble une concurrence encore plus dangereuse : celle des producteurs d'appareils photo japonais. Dès la fin de la guerre, le Japon s'est lancé à fond sur le marché de la photographie et du cinéma. En moins de quinze ans, il a réussi à conquérir la première place mondiale.

Toutes ces firmes luttent entre elles pour conserver leur compétitivité aux prix, améliorer constamment les produits, enfin éviter la dispersion. On assiste au Japon, comme en Amérique et en Europe, à des fusions de sociétés et à des concentrations industrielles où les grands absorbent les petits. Comme le prix de la main-d'œuvre tend à augmenter constamment au Japon, les fabricants du monde entier implantent de nouvelles usines à l'étranger où la main-d'œuvre est encore meilleur marché. C'est ainsi qu'ils ont construit des usines à Singapour et à Hong-Kong. Pour le moment, les firmes japonaises sont encore imbattables en ce qui concerne leurs prix, mais déjà se dessine à l'horizon le spectre de la concurrence chinoise. Les Japonais avaient débuté dans l'industrie photographique en copiant les appareils allemands. Maintenant ce sont les Chinois qui copient les appareils japonais. Une manufacture chinoise, Seagull, a mis au point en 1972 une copie exacte du Minolta SRT-101, vendue à un prix défiant toute concurrence.

Les amateurs japonais sont légion. Ils achètent les appareils les plus compliqués car ils sont bon marché et presque à la portée de toutes les bourses.

Les appareils photographiques construits à l'aide de l'électronique, sont de plus en plus raffinés. Et pourtant, même un enfant peut apprendre en quelques minutes à s'en servir. Tout est réglé automatiquement. Du point de vue technique, personne ne peut plus rater une photo. C'est une des raisons de l'immense attrait de la photo auprès des masses. Une autre raison est que l'homme mène une vie de plus en plus monotone. Il est enrégimenté et dominé par la technostructure qui lui laisse de moins en moins d'initiative. A l'époque de l'artisanat, il avait encore la satisfaction d'exprimer sa personnalité et ses aspirations; aujourd'hui, il est réduit à n'être qu'un minuscule rouage dans une société de plus en plus automatisée. Faire des photos lui donne l'illusion de satisfaire son désir de création. C'est une des raisons pour lesquelles tant de gens sont attirés par la photo et la rendent si populaire. D'innombrables clubs d'amateurs existent dans chaque pays et les revues de photographie se comptent par centaines.

En Amérique, la société technicienne est la plus avancée. C'est là que débute, vers la fin des années cinquante un mouvement qui prend essor parmi les amateurs les plus avancés. Ils commencent à acheter les appareils les plus perfectionnés, les Leica, Nikon F, même des Hasselblad et des Linhof. Les G. I., revenant de la guerre au Vietnam, rapportent les appareils japonais, achetés à bon marché en Asie. Les attiques, les remises, les salles de bains sont transformées en chambres noires, remplies d'équipements coûteux. Dans toutes les grandes villes américaines s'ouvrent des galeries qui ne se consacrent qu'à la photographie. En 1975 il y en a 30 à New York, en 1979 plus de 117! Elles organisent des expositions et vendent les photographies au public.

Jusqu'alors, les collectionneurs s'étaient intéressés exclusivement aux œuvres des photographes du XIXe siècle. Maintenant ils s'intéressent aussi aux photographes contemporains, surtout les jeunes collectionneurs, dont le nombre augmente, car, l'œuvre d'art se vendant à des prix si élevés, ils n'ont pas les moyens d'en faire collection. Par contre le prix des photos dépasse rarement celui d'une lithographie originale. Le puissant *New York Times* publie chaque dimanche une page entière sur la photographie, depuis le printemps 1975, des critiques sur les expositions photographiques paraissent sous la rubrique « Art », donnant ainsi publiquement à la photographie une place parmi les arts graphiques. A part les revues spécialisées qui paraissent chaque mois, des articles sur la photographie et son importance comme œuvre d'art paraissent dans les hebdomadaires comme *The New Yorker*, *Newsweek*, *Time*, *The New York review of Literature*, etc., et même le très sérieux *Wall Street Journal* qui ne s'occupe que de finances, lui consacre des articles. Il y a des conseillers financiers qui recommandent à leurs clients d'acheter des photos comme investissement. La spéculation s'en empare.

En 1975, plus de 400 expositions photographiques ont eu lieu à travers le pays. La Park Bernet Gallery, à New York, dont les ventes correspondent en importance à celles qui ont lieu à l'Hôtel Drouot et au Palais Galliera à Paris ou aux grandes ventes de Cologne en Allemagne ou chez Sotheby à Londres, organise des ventes publiques de collection de photographies. Des catalogues sont imprimés comme pour les ventes de tableaux ou de livres précieux. En 1971, une vente dépassa 14 millions de francs. En février 1975, on mit pour la première fois aux enchères des photographies d'auteurs du XXe siècle. Une photogravure d'Alfred Stieglitz, *The Steerage*, représentant des immigrés allemands sur un bateau en rade à New York, obtient 4 500 dollars. Son magazine *Camerawork* (1903-1917), en 50 volumes (incomplets), monte jusqu'à 24 000 dollars! Les photographies de Man Ray, Ansel Adams, Brassaï, Walker Evans,

Cartier-Bresson, etc., sont parmi celles qui obtiennent des prix élevés dépassant 1 000 dollars.

Des collections importantes de photographies existent dans de nombreux musées américains. Au musée d'Art moderne de New York (MOMA) un département entier retrace l'histoire de la *photographie*. On y organise des expositions temporaires. Un certain nombre d'autres musées américains suivent cet exemple. Le musée Eastman Kodak à Rochester, installé dans la vaste demeure privée de George Eastman, lui est entièrement consacré. En automne 1974, on a inauguré à New York le *Photographic Center*, créé par Cornell Capa. Presque tous les musées américains ont aujourd'hui un département de la photographie. Pour les étudiants et les historiens il y a des collections publiques. Les plus importantes se trouvent à la Library of Congress, à Washington, célèbre pour ses collections de Brady et de la Farm Security Administration; à la New York Public Library et au MOMA; à la Smithsonian Institution à Washington.

En 1974 fut fondé à l'université de Tucson, en Arizona, le Center for Creative Photography. Aujourd'hui, c'est l'endroit le plus moderne où des milliers d'étudiants et de chercheurs peuvent prendre connaissance de la photographie contemporaine. En moins de dix ans, les collections et les facilités de recherches ont tellement augmenté que l'on construit un nouveau building. On y trouve non seulement des photographies originales, mais aussi toute une documentation sur la personnalité et l'œuvre des photographes, des manuscrits, des correspondances, des négatifs. En 1982 a été inauguré un département similaire à l'Art Institute de Chicago.

En septembre 1975 eut lieu à New York au Lincoln Center, le premier symposium sur la photographie. Des conservateurs, critiques et spécialistes de l'image se sont penchés sur la manière de collectionner les photographies, de les classer et maints autres problèmes les concernant.

L'importance accordée à l'image se reflète dans l'enseignement. En 1982 on estime à 150 000 les étudiants qui apprennent la photographie dans 675 institutions, écoles et collèges, dont 177 universités. Cette activité est considérée comme une discipline qui permet d'obtenir des diplômes allant du simple certificat aux plus hauts degrés universitaires.

Plus de dix ans après l'Amérique, l'intérêt pour la photographie commence à déborder le cercle restreint des photographes professionnels en Europe. Là aussi, ce sont les amateurs de plus en plus nombreux qui déclenchent cette mode. Des galeries spécialisées s'ouvrent à Paris, à Berlin, à Londres, à Milan, à Vienne, à Amsterdam, etc. Les éditeurs, hostiles à l'idée des albums photographiques, ayant eu des méventes les années précédentes, changent d'avis. Des collections uniquement consacrées à la photographie commencent à voir le jour. Après cent quarante ans de silence (souvenez-vous que l'État français a acheté l'invention de la photographie en 1839 pour la rendre ensuite publique) le gouvernement décide, en 1976, de créer la Fondation nationale de la photographie. Elle fut inaugurée à Lyon – on voulait décentraliser – en 1978. C'est en 1978 aussi, qu'un jeune photographe de talent est élu pour passer un an ou deux à la Villa Médicis à Rome où se trouve l'Académie française des arts, fondée en 1666 par le cardinal de Richelieu. Les choses changent en 1982. L'État crée une bourse pour deux jeunes photographes afin qu'ils puissent vivre sans soucis matériels dans le pays de leur choix.

D'autre part, depuis 1978 le Grand Prix national des arts est aussi décerné à un photographe dont l'œuvre est déjà reconnue. Avec le changement de gouvernement, en 1981, la photographie devient officiellement un art à part entière. Elle fait partie des arts plastiques. Le gouvernement ouvre le Centre national de la photographie à Paris et l'École nationale de la photographie à Arles, où Lucien Clergue et Michel Tournier avaient fondé les Rencontres internationales en 1970. Pour la première fois la photographie dispose d'un budget propre. Le ministère de la Culture s'est donné pour tâche la mise en valeur du patrimoine français et l'aide à la création et à la diffusion. La photographie en France n'est plus la sœur pauvre des arts.

Conclusion

« C'est le mot imprimé qui est en danger, pas seulement *Life* », s'était exclamé Robert Engelke, un des directeurs d'une grande firme de publicité américaine au moment où les difficultés du magazine furent connues. Il voulait dire que les gens lisent de moins en moins depuis qu'ils sont sollicités de plus en plus par les mass media audio-visuels.

Au xve siècle, grâce à Gutenberg, les livres se sont multipliés, mais la lecture est toujours restée limitée aux hommes instruits. Aujourd'hui, même les gens instruits avouent qu'ils lisent moins parce qu'ils sont de plus en plus sollicités par l'image. Même les intellectuels les plus réfractaires à la télévision ne lui échappent pas, car leurs enfants la réclament, se sentant humiliés quand on discute à l'école des programmes qu'ils n'ont pas vus [183].

Pendant la Renaissance, on disait d'un homme avisé « il a du nez ». A notre époque on dit de quelqu'un qui est au courant « il a l'œil », car c'est la vue qui est aujourd'hui le sens le plus sollicité. L'image est facile à comprendre et accessible à tout le monde. Sa particularité consiste à s'adresser à l'émotivité; elle ne laisse pas de temps à la réflexion et au raisonnement comme une conversation ou la lecture d'un livre. C'est dans son immédiateté que réside sa force et aussi son danger. La photographie a multiplié l'image par milliers de milliards, et pour la plupart des hommes le monde n'est désormais plus évoqué mais présenté. La photographie de Phan Thi Kim Phuc*, une petite fille de 9 ans, sévèrement brûlée par une attaque au napalm, fuyant avec d'autres enfants sur une route du Sud-Vietnam, symbolise douloureusement la guerre. Elle fut publiée dans le monde entier et éveilla partout l'horreur et la haine de la guerre, évocation infiniment plus puissante que des douzaines de pages qui auraient pu être écrites à ce sujet. L'effet de cette photo fut tel que *Life magazine* dans son dernier numéro du 29 décembre 1972, la reproduisait parmi les photographies les plus mémorables de l'année 1972. Pour affaiblir le choc émotif *Life* avait juxtaposé un portrait en couleur de la petite Vietnamienne souriante, expliquant que Phan Thi avait dû être traitée à l'hôpital de Saïgon pendant 15 semaines pour subir des transplantations de peau et une thérapie physique. « Mais incroyablement, la guerre n'était pas terminée pour cette

* p. 168

petite fille, car des avions de l'armée sud-vietnamienne (l'attaque au napalm était aussi due à une erreur de cette armée) avaient détruit sa maison. Mais celle-ci, ajoutait *Life*, a maintenant été partiellement reconstruite. Les blessures de la petite fille sont guéries et elle est retournée à l'école. Ses souvenirs sont cachés derrière son petit sourire. » Malgré cette photo rassurante, l'image de Phan Thi Kim Phuc, arrachant ses vêtements en flamme, et courant toute nue sur une route, restera pour toujours gravée dans la mémoire de ceux qui l'ont vue.

En s'adressant à la sensibilité, la photographie est douée d'une force de persuasion qui est consciemment exploitée par ceux qui s'en servent comme moyen de manipulation. Dans son livre : *Confessions d'un publicitaire*, David Ogilvy, un des représentants les plus connus de la publicité américaine, recommande à ses confrères de suggérer à leurs clients de se servir avant tout de la photo pour vendre leurs produits, car « elle représente la réalité tandis qu'un dessin est moins crédible [184] ». Les centaines de millions d'amateurs, consommateurs et producteurs à la fois de l'image, qui ont vu la réalité en appuyant sur le bouton et qui la retrouvent dans leurs clichés, ne doutent pas de la véracité de la photo. Pour eux, une image photographique est une preuve irréfutable.

Nous avons donné maints exemples des moyens par lesquels on peut changer, altérer, faire dire à une photo le contraire de ce qu'elle représentait à l'origine. Mais c'est sur cette crédibilité de l'image, expérimentée par presque tout le monde, puisque presque tout le monde est amateur, que repose son énorme puissance et son utilisation massive dans la publicité. Des « psychologues des profondeurs » (les *depth boys*) sont employés par les publicitaires pour étudier les réactions de l'homme en face de la publicité. Ils savent par la psychanalyse que l'inconscient est peuplé d'images qui ont une influence profonde sur le comportement. Certains de ces psychologues avaient conçu une publicité diabolique, intercalaire. Des flashes d'un trentième de seconde furent insérés dans la projection de films pour vanter des produits. Ces *images subliminales* furent interdites comme immorales car elles signifiaient un viol de la personnalité humaine, pareil au détecteur de mensonge. S'il suffit d'un éclair au trentième de seconde pour influer sur la volonté d'un homme, on mesure la puissance de l'image et l'on conçoit sa force attractive pour vendre des biens et des idées.

Ce n'est pas seulement dans les pays capitalistes, dits libéraux qu'on est conscient de cette puissance, mais tout autant dans les pays gouvernés par des dictatures, qu'elles soient de droite ou de gauche. La photographie du chef d'État, portée dans des cortèges et des démonstrations, surplombant des assemblées, ou ornant les bureaux officiels, est pour les uns le symbole du père, pour les autres celui du Grand Frère orwellien. Elle inspire l'amour ou la haine, la confiance ou la peur. Sa valeur intrinsèque réside dans sa puissance d'éveiller des émotions.

En 1972, on a fêté les 150 ans de l'invention de la photographie. Dans ce livre, j'ai essayé de tracer son histoire. Elle a débuté modestement comme moyen d'autoreprésentation. Très vite, elle est devenue une industrie toute-puissante et tentaculaire qui s'est infiltrée partout. Comme moyen de reproduction, la photographie a démocratisé l'œuvre d'art en la rendant accessible à tous. En même temps elle a changé notre vision de l'art. Employée comme moyen d'extériorisation d'un souci créateur, elle est autre chose qu'une simple copie de la nature. Autrement les « bonnes » photos ne seraient pas si rares. Parmi les millions d'images publiées tous les jours dans la presse et l'édition, on n'en trouve que quelques-unes qui dépassent la simple représentation. Elle a aidé l'homme à découvrir le monde sous des angles nouveaux ; elle a supprimé l'espace. Sans elle, nous n'aurions jamais vu la surface de la lune. Elle a nivelé les connaissances et rapproché ainsi les hommes. Mais elle joue aussi un rôle dangereux comme manipulateur pour créer des besoins, vendre des marchandises et façonner les esprits.

La photographie a été le point de départ de mass media qui jouent aujourd'hui un rôle tout-puissant comme moyen de communication. Sans elle, il n'y aurait eu ni le cinéma ni la télévision. Regarder journellement le petit écran est devenu une drogue dont des millions de gens ne peuvent plus se passer. L'inventeur de la photographie, Nicéphore Niépce, fit des efforts désespérés pour faire valoir son idée. Il ne subit que des échecs et mourut dans la misère. Aujourd'hui, peu de gens connaissent son nom, mais la photographie, qu'il a été le premier à réaliser, est devenue le langage le plus courant de notre civilisation.